D0313592

Sexy LAWYERS
AFFAIRE NON CLASSÉE

SAISON 3

La présente édition a été publiée en accord avec l'éditeur américain :

Titre de l'édition originale : *Appealed – The Legal Briefs Series*

Pour la traduction française : *Sexy Lawyers saison 3, Affaire non classée*
Photo de couverture : © iStock
Graphisme : Marion Rosière

Collection dirigée par Hugues de Saint Vincent
Ouvrage dirigé par Sophie Le Flour

Département de Hugo et Cie
34-36, rue La Pérouse, 75116 Paris
www.hugoetcie.fr

ISBN : 9782755633061
Dépôt légal : mars 2017
Imprimé en France par Corlet
N° d'imprimeur : 185423

NEW ROMANCE®

EMMA CHASE

Sexy LAWYERS
AFFAIRE NON CLASSÉE

SAISON 3

Traduit de l'anglais (États-Unis) par Robyn Stella Bligh

Hugo Roman

À toutes les filles normales et aux garçons qui les aiment.

1

– Espèce de pourriture !

Kennedy se redresse et me dévisage comme si elle ne me reconnaissait plus, ce qui est extrêmement bizarre étant donné qu'on est culs nus dans mon lit et qu'on connaît la moindre tache de rousseur de l'autre.

Le ton de sa voix me surprend, il est sec, blessé, énervé. Comme si j'avais ôté tout l'air de ses poumons. Comme si je venais de lui mettre un coup de poing dans le ventre. Ses paroles ne m'inquiètent pas, toutefois, car nous insulter l'un l'autre est notre façon de flirter. Nos disputes servent de préliminaires. Une fois, elle était tellement chaude qu'elle m'a mis un coup de poing, et j'ai réagi en bandant de plus belle.

Ce n'est pas aussi tordu que ça peut vous sembler, pour nous, ça fonctionne. Du moins, cela fonctionnait jusqu'à il y a dix secondes.

– Attends, quoi ? je m'exclame.

Je pensais qu'elle serait reconnaissante, heureuse, même. Peut-être même au point de me tailler une pipe pour me remercier ?

Toutefois, ses yeux brillent d'un éclat prédateur et dangereux, et je décide que la laisser s'approcher de mon sexe n'est probablement pas une bonne idée, parce que Kennedy n'est pas une femme qu'on prend à la légère. C'est une briseuse de cœurs et de couilles.

– Tu avais prévu ça depuis le début, hein ? De me sauter à m'en faire perdre la tête pour que je baisse ma garde et que tu puisses gagner le procès, siffle-t-elle.

Elle va pour se lever du lit mais je l'empoigne par le bras.

– Tu crois que ma queue a le pouvoir de te rendre stupide ? Je suis flatté ma belle, mais je n'ai pas besoin de me prostituer pour gagner mes affaires. Tu pètes un câble pour rien.

– Va te faire foutre !

Eh ben, il est bien loin le temps où je savais m'y prendre avec les femmes. À l'époque, si le mot « foutre » était prononcé, c'était pour me dire où le mettre.

Elle se débat et déguerpit du lit, rassemblant ses vêtements avec des gestes brusques et agacés. Bien sûr, comme elle est complètement nue et qu'elle se baisse en remuant tout ce qu'il faut, je ne peux que la regarder. Elle a des traces de morsures sur les fesses, et bien évidemment j'en suis l'auteur. Peut-être me suis-je un peu trop emporté hier soir, mais son cul est tellement rebondi et désirable…

J'attrape la prothèse qui repose sur ma table de nuit et je l'enfile sur le moignon de ma jambe gauche car, oui, une partie de ma jambe a été amputée quand j'étais gamin. On appelle ça une amputation transtibiale, si vous voulez le terme technique, mais je vous en reparlerai plus tard, parce que Kennedy ne m'attend pas. C'est une des choses qui me plaisent chez elle, d'ailleurs, elle est têtue comme une mule. Elle n'a pas idée de me traiter autrement qu'en homme en possession de tous ses moyens, car c'est ce que je suis. Elle me traite simplement comme l'enfoiré qu'elle voit en moi en ce moment.

Je fixe ma prothèse et je me lève au moment où elle trouve sa deuxième chaussure et qu'elle l'ajoute à la pile de vêtements dans ses bras.

– Calme-toi, chaton, je dis d'une voix douce.

– Ne m'appelle pas comme ça ! aboie-t-elle. On a dit qu'on ne parlerait pas de l'affaire, on s'était pourtant mis d'accord !

Je me rapproche, les paumes tournées vers elle pour lui faire comprendre que je viens en paix.

– On s'était mis d'accord sur beaucoup de choses qui ne sont plus valables, désormais, poussin.

Elle me fusille du regard en entendant ce nouveau surnom, apparemment, je peux l'ajouter à la colonne « non », ce qui est bien dommage, parce que je trouve que ça lui va plutôt bien.

– J'en ai seulement parlé parce que j'essayais de t'aider.

C'est officiel : je suis un imbécile. De toutes les bêtises que j'aurais pu dire, c'est bien la pire.

– Tu crois que j'ai besoin de ton *aide* ? Tu n'es vraiment qu'un connard condescendant !

Elle se tourne vers la porte, mais je la saisis par le bras.

– Lâche-moi. Je m'en vais.

J'ai envie de lui répondre « jamais de la vie » ou « c'est hors de question », mais ça me ferait passer pour un psychopathe, non ? Ainsi, au lieu de cela, je prends ses fringues de ses bras et je me dirige vers la fenêtre.

– Qu'est-ce que tu… ? Ne fais pas ça !

Trop tard. Sa jupe haute couture, son chemiser en soie et ses sous-vêtements en dentelle rouge flottent dans l'air avant d'atterrir sur le trottoir au pied de mon immeuble. Son soutien-gorge s'accroche à l'antenne d'une voiture qui passe à ce moment-là, volant dans les airs comme le drapeau sur les véhicules des diplomates. Cette voiture serait celle de l'ambassadeur de l'île des Nichons.

Je ferme la fenêtre, je croise les bras, et je souris.

– Si tu essaies de partir comme ça, le pauvre Harrison sera traumatisé à vie.

Harrison est mon majordome. Encore une fois, je vous en parlerai plus tard.

– Espèce de fils de pute !

Elle serre les poings et s'attaque à mon visage. Ses années de danse classique l'ont rendue rapide et gracieusement agile. Cependant, aussi rapide soit-elle, elle ne mesure qu'un mètre cinquante-cinq. Ainsi, elle n'a pas eu le temps de me mettre un coup de poing ni l'idée de me frapper entre les jambes que je la jette sur le lit sans le moindre effort. Ensuite, je chevauche sa taille et je m'empare de ses poignets, que je fixe au-dessus de sa tête. Mon érection est collée contre sa peau douce et chaude, juste en dessous de ses seins, ce qui me donne de merveilleuses idées – mais il faudra que ça attende, ça aussi. Dommage.

– Maintenant, ma petite pêche, on va poursuivre notre conversation.

Il lui va bien aussi, ce surnom, car vous l'aurez deviné, sa peau est douce comme celle d'une pêche. Quant à son parfum et son goût… *bon sang*. Elle est plus sucrée qu'une pêche bien mûre par un beau jour d'été.

Des mèches blondes couvrent son épaule tandis qu'elle se cambre sous moi, donnant à ma queue des idées plus fabuleuses les unes que les autres.

– Va te faire foutre. Je n'ai aucune envie de te parler.

– Tant mieux. Alors voilà ce que je propose. Tu vas fermer ta superbe bouche et m'écouter. Sinon… je peux toujours te bâillonner…

Peut-être vais-je la bâillonner de toute manière, juste pour m'amuser. J'aurais dû garder son string en dentelle.

– Je te déteste !

– Non, c'est faux, je réponds en riant.

Elle dégaine le même regard meurtrier qu'elle m'avait lancé voilà déjà bien des années.

– Je n'aurais jamais dû te refaire confiance.

Je garde ses mains coincées au-dessus d'elle et je recule pour profiter de la vue.

– N'importe quoi. C'est la meilleure décision de ta vie. Maintenant écoute-moi, ma puce…

Et je commence à lui dire tout ce que j'aurais dû lui dire il y a quelques semaines, ou plutôt, depuis toutes ces années…

◆◆◆

Quatre semaines plus tôt

« J'ai fait un rêve bizarre, hier soir. »

Je fais les cent pas derrière le divan avec une balle de squash à la main. Lorsque j'arrive au bout, je la fais rebondir sur le mur, je la rattrape dans l'autre main, puis je tourne les talons et je pars dans l'autre sens. Je parle plus facilement en me déplaçant.

« J'étais à la plage… du moins, je crois que c'était une plage, je ne me souviens pas qu'il y ait eu de l'eau. Mais il y avait du sable, parce que j'y creusais un trou… »

Je lance, je rattrape, je tourne.

Certains pensent qu'aller chez un psy est une faiblesse, mais ceux-là disent n'importe quoi. Il faut une sacrée paire de couilles pour oser confier ses pensées à une autre personne, ses peurs, ses désirs les plus sales. C'est comme un exercice pour l'âme, ça vous oblige à vous voir tel que vous êtes vraiment.

D'ailleurs, je pense que c'est ça le problème, la plupart des gens ne veulent pas se voir tels qu'ils sont. Ils préfèrent penser qu'ils sont tels que les autres les voient, alors qu'au fond ce sont des connards égoïstes et pervers.

« Les grains étaient gros, blancs, noirs, et beiges. Je n'arrêtais pas de creuser. Je ne sais pas ce que je cherchais, mais j'ai su quand je l'ai trouvé. »

Je lance, je rattrape, je tourne.

« C'était un rubis. Le plus bizarre, c'est que dès que j'essayais de le prendre, il m'échappait. J'ai eu beau essayer, serrer le poing, je n'arrivais pas à le tenir. C'est louche, non, Charlie ? »

Mon psy s'appelle Charlie Bingingham. C'est quelqu'un de calme et de rêveur, qui est à quelques années de la retraite. Tous ses autres clients l'appellent docteur Bingingham ou docteur Bing, pour faire plus court, mais moi j'aime Charlie, c'est le nom le plus cool qu'on puisse donner. Si votre gamin s'appelle Charlie, vous allez forcément dire « Où est Charlie ? » à un moment de votre vie, et ça, c'est hilarant.

Il me regarde patiemment puis il enlève ses lunettes carrées à bords noirs et il les nettoie lentement avec un mouchoir en tissu. C'est une stratégie que je l'ai souvent vu employer, au fil des années. Il me laisse le temps de trouver la réponse à ma propre question.

Je lance, je rattrape, je tourne.

Cependant, cette fois-ci, je suis sincèrement déterminé à avoir son opinion professionnelle.

– Que signifie tout ça, Charlie ?

Il finit par cligner des yeux et parler.

– Je croyais que cette semaine nous avions décidé de parler de la manière dont vous vous servez des rapports sexuels pour fuir toute intimité avec une femme ?

Je lève les yeux au ciel.

– Le sexe, le sexe, le sexe. Vous ne pensez qu'à ça, vous, les Freudiens, hein ? C'est tout ce que je suis pour vous, Docteur ? Un morceau de viande ? Une bite avec des jambes ? Enfin, *une jambe* en tout cas, je ricane en tapotant ma prothèse. Votre femme vous a encore fait le coup de la migraine ?

Il écrit quelque chose sur son bloc-notes.

– La prochaine fois, dit-il, peut-être pourrons-nous parler de la manière dont vous utilisez un humour déplacé pour éviter les conversations qui vous mettent mal à l'aise.

Je lance, je rattrape, je tourne.

– Non, je suis juste un mec marrant, c'est tout. La vie est trop sérieuse, je ne veux pas me miner le moral. De toute façon, je crois que vous vous fourrez le doigt dans l'œil à propos de cette histoire d'intimité. Par définition, la baise *est* intime.

– Pas comme vous vous y prenez, non.

– Est-ce que vous me jugez, Charlie ?

Je l'avoue : j'adore dire son prénom.

– Est-ce que vous voulez que je vous juge, Brent ?

– Vous pensez que je devrais avoir envie que vous me jugiez ?

Je vais voir un psy depuis que j'ai dix ans, je peux jouer à ce jeu toute la journée.

– Je pense que vous vous servez de ce rêve pour éviter de parler de la manière dont vous vous servez du sexe pour remplacer l'intimité.

– Non, vous essayez juste de me retourner le cerveau, Charlie. Je veux savoir ce que signifie mon rêve.

Je lance, je rattrape, je tourne.

Charlie soupire, laissant tomber sa cause.

– Les rêves sont le reflet de notre inconscient. Ils expriment les sentiments et les désirs que notre esprit conscient ne veut pas affronter. Peu importe ce que signifie le rêve, ce qui compte, c'est ce qu'il représente à *vos yeux*. Comment l'interprétez-vous, Brent ?

Je pense d'abord que mon inconscient me dit que j'ai besoin de vacances – dans un endroit chaud et tropical, avec des cocktails de toutes les couleurs et des nanas canon en bikini. Ou, mieux encore, *sans* bikini.

Cependant, c'est trop simple. Ce rêve était différent. Il m'a paru… important.

– Je crois qu'il signifie que je cherche quelque chose.

Charlie remet ses lunettes.

– Et ?

– Et que j'ai peur, quand je le trouverai, de ne pas réussir à le garder.

Il hoche la tête, comme un père qui est fier de son fils.

– Je pense que vous avez raison.

Je lance, je rattrape, je tourne.

Sa phrase suffit à me booster le moral, à me procurer un sentiment de puissance et de confiance en moi, et c'est pour ça que c'est génial d'être en thérapie. Je ne sais peut-être pas ce qui va m'arriver à l'avenir, mais je sais que j'arriverai à le gérer.

– Maintenant… revenons à votre peur de l'intimité.

J'émets un bruit guttural, râlant comme un gamin qu'on oblige à faire ses devoirs. Je m'assois sur le canapé, un bras tendu sur le dossier.

– Allez, ça roule, je vous écoute.

Il réprime un sourire et il jette un œil à ses notes.

– Vous avez dit que Tatianna venait à Washington, le week-end dernier. L'avez-vous vue ?

Tatianna est une vieille amie dont je connais le corps de manière intime, si vous voyez ce que je veux dire. C'est aussi une princesse, une vraie de vraie. Si Disney décidait de faire dans le trash, Tatianna serait la muse parfaite. Elle ne reflète pas l'image qu'on se fait d'une princesse assise sur un trône, mais son sang est véritablement royal. Et, s'il y a une chose que la royauté sait bien faire, c'est la fête.

– On s'est vus, oui.

– Et comment ça s'est passé ?

Je tends mes bras au-dessus de ma tête et je fais craquer ma nuque.

– Elle est venue, elle est repartie.

Non sans jouir, bien sûr : au lit, dans la cuisine, dans le jacuzzi. C'était une belle visite.

Charlie hoche la tête.

– Vous avez dit que Tatianna était fiancée, maintenant ?

– Oui. La prochaine fois qu'elle viendra aux États-Unis, ce sera *Madame la Duchesse*.

La dernière véritable responsabilité de l'aristocratie d'aujourd'hui est de s'assurer que la fortune reste dans la famille en produisant des héritiers – hélas, cela veut dire que Tatianna et moi nous ne pourrons plus nous amuser comme avant.

– Votre associé, monsieur Becker, il est fiancé, lui aussi ?

– Oui, le mariage est dans trois mois. Il n'a pas encore perdu la tête, mais il n'en est pas loin.

Peu de choses sont plus amusantes que de regarder Jake Becker, qui est une véritable armoire à glace, être contraint de choisir les bouquets qui orneront les tables à la réception.

– Et vos autres associés, monsieur Shaw et madame Santos, ils attendent leur premier enfant ?

– Oui, un garçon. Le petit Becker Mason Santos Shaw.

C'est le nom de notre cabinet d'avocats spécialisé en droit pénal. Nous y sommes tous associés, et je trouverais normal que le premier enfant de l'entreprise en porte le nom. Je n'ai pas encore réussi à convaincre Sofia et Stanton, mais j'y travaille. Cela dit, maintenant que j'y pense, je me demande s'ils seraient contre l'idée de l'appeler Charlie…

– Et que ressentez-vous, Brent ? À l'idée qu'autant de gens dans votre cercle d'amis se marient ou attendent des enfants, qu'ils avancent dans leur vie ?

– Je trouve ça génial. Je suis ravi pour eux. Jusqu'à l'an dernier, Jake était un célibataire pur et dur, mais maintenant il s'est trouvé une femme ravissante et une maison pleine d'enfants, et il est plus heureux que jamais.

Charlie écrit quelque chose sur son bloc-notes.

– Est-ce que c'est quelque chose qui vous fait envie ? Le mariage, les enfants ?

– Est-ce que ma mère vous a encore appelé ? je demande à Charlie en l'étudiant d'un air dubitatif.

– Tous les mois, répond-il en se massant le front. Mais vous savez pertinemment que je ne parle pas de nos conversations avec elle.

Ma très chère mère devrait sans doute profiter d'avoir Charlie au téléphone pour prendre rendez-vous avec lui. Le mois dernier, elle a demandé à Henderson, son majordome, de se renseigner sur le meilleur moyen d'adopter un petit-enfant. Tout cela parce que moi, son fils unique, je néglige mes responsabilités et que je *refuse* de lui en donner un. Vous vous rendez compte ?

Je me penche pour appuyer mes coudes sur mes genoux.

– Très bien, alors voilà le truc. Je suis ravi pour eux, bien évidemment. Mais il y a une partie de moi qui pense que, maintenant, ils sont piégés. Qu'ils sont coincés avec toutes ces responsabilités. Alors que moi, j'ai beaucoup de travail, c'est clair, mais je peux encore aller faire du saut à l'élastique en Suisse ou de la pêche à la mouche en Nouvelle-Zélande si l'envie me prend. Il me suffit de passer un coup de fil pour avoir un plan à trois avec des héritières et les mater se faire des cunnis avant de remettre le couvert.

Ah, au cas où vous ne le sauriez pas, rien n'est tabou dans le cabinet d'un psy.

– Et, si je meurs d'envie de me sentir entouré d'une famille, il me suffit de passer chez un de mes potes pour dîner et jouer le rôle du tonton préféré des gamins. En gros, j'ai tous les avantages sans la moindre obligation. La vie est courte, j'ai envie d'en profiter. Et j'aime vraiment en profiter en toute liberté.

Il m'étudie un moment.

– Hmm, dit-il enfin.

Puis… rien.

– Hmm, quoi ? je demande. Je crois qu'on a dépassé le stade des *hmm*, vous ne pensez pas, Charlie ?

Il tapote sa lèvre avec son stylo.

– Eh bien, à l'évidence, vous êtes convaincu de ce que vous dites. Vous *pensez* que vous désirez cette vie égocentrique avec peu de responsabilités.

– Mais ?

Il y a toujours un *mais*.

– *Mais*, je me demande si, au fond, vous n'avez pas passé l'âge pour croire à cette philosophie, si vous ne cherchez pas quelque chose de plus profond. L'engagement n'est pas toujours un poids, Brent. Ce peut aussi être une grande source de joie et de satisfaction.

Je me racle la gorge et je plonge dans mes pensées – comme Luke Skywalker lorsque Obi-Wan lui apprenait à maîtriser la Force.

– Vous vous fourrez le doigt dans l'œil, mon vieux.

Il hausse les épaules.

– Dans ce cas, posez-vous cette question : aussi « piégés » que soient vos amis, pensez-vous qu'eux aussi font des rêves de rubis dans le sable ?

Est-ce que je vous ai déjà dit que Charlie était sacrément perspicace ?

2

Mon nom de famille est inscrit sur les portes d'entrée de bibliothèques, d'hôpitaux et de dizaines d'autres bâtiments similaires, mais le fait qu'il soit sur *mon* immeuble et sur la porte de *mon* cabinet d'avocats… c'est particulièrement cool. Je pense que c'est parce que c'est *moi* qui ai fait ça, et pas un membre de ma famille. Lorsqu'on grandit dans l'ombre de tous ceux qui viennent avant vous, ce genre de chose est important.

Jessica, notre stagiaire – et esclave – pour l'été, m'accueille avec des étoiles plein les yeux et une pile de messages.

– Bonjour, monsieur Mason.

Je prends les messages et j'évite de croiser son regard en m'efforçant de garder un air neutre, parce que les stagiaires en règle générale ont une incroyable soif d'apprendre, qu'ils sont enthousiastes à n'en plus finir, et qu'ils sont prêts à tout pour se faire remarquer.

Cela est particulièrement vrai de Jessica. Elle est vraiment prête à tout, et c'est flagrant à sa façon de me regarder, à sa façon de frotter *par accident* sa poitrine contre mon bras, à sa façon de venir dans mon bureau quand je travaille tard pour me dire qu'elle est toute à moi.

Par ailleurs, Jessica est absolument canon. Elle est grande, rousse, et elle a des hanches que n'importe quel homme s'imaginerait tenir – *par-derrière*, si vous voyez ce que je veux dire. Cette nana est une bombe. Hélas, elle a vingt-quatre ans.

Je ne sais pas depuis quand vingt-quatre ans est trop jeune pour moi, mais c'est le cas, point à la ligne.

– Merci, Jessica.

Je gravis les marches jusqu'au dernier étage, où le plancher sombre, les moulures d'origine et les menuiseries sculptées donnent à nos bureaux un air professionnel et élégant. J'arrive face à deux bureaux situés face à face, à gauche et à droite – l'un est pour notre secrétaire, miss Higgens, et l'autre est pour notre assistante juridique. Deux grands canapés en cuir marron permettent à nos clients d'attendre leur rendez-vous.

Je hoche la tête pour saluer miss Higgens, et je file dans mon bureau pour travailler tout l'après-midi.

◆◆◆

À seize heures, je me présente à ma porte pour accueillir mon client, Justin Longhorn. C'est le jeune branleur typique : ses cheveux châtains sont coiffés en bataille, son jean slim est usé alors qu'il est tout neuf, il porte un tee-shirt rétro Nirvana, et il est accaparé par son tout nouvel iPhone.

Je n'ai pas le temps de lui dire bonjour que Riley McQuaid, seize ans, apparaît dans le couloir. Elle travaille ici quelques heures par semaine durant l'été, et c'est l'aînée de la fratrie McQuaid. Les six gamins McQuaid *de Jake*.

Si vous ne comprenez pas ce que cela implique, ça ne devrait pas tarder.

Les deux ados se reluquent mutuellement, de la tête aux pieds – qui sont chaussés de Converse.

– Salut, braille Justin.

– Salut, répond Riley en remettant une mèche bouclée derrière son oreille.

Il n'adviendra rien de bon de cette situation, et je ne suis pas le seul à le penser.

– Salut, grogne Jake depuis la porte de son bureau où il se tient, dominant, bras croisés, regard glacial.

Jake Becker est un mec génial et c'est l'un de mes meilleurs amis. Quand il le veut, il sait aussi être sacrément effrayant. Le regard meurtrier qu'il lance à mon client a déjà fait chialer des mecs plus vieux et plus costauds que moi. Cependant, Justin ne le voit pas, parce qu'il n'a toujours pas quitté Riley des yeux.

– J'ai des dossiers à te faire ranger, Riley, dit Jake en pointant son pouce derrière lui. Et ça se passe dans mon bureau, ajoute-t-il.

– D'accord, j'arrive, répond-elle.

Or elle ne bouge pas. En tout cas, pas tout de suite, pas avant de s'être mordu la lèvre en regardant Justin et en marmonnant l'habituel « À plus ».

– Ouais, répond Justin.

Tiens donc, je n'aurais jamais cru que Justin était suicidaire, mais c'est bon à savoir.

Riley est entrée dans son bureau, mais Jake continue de le fusiller du regard. Apparemment, ce pauvre gamin a un instinct de survie proche du néant, parce qu'il hoche la tête dans sa direction en lui disant « Ça gaze, mec ? ».

Le visage de Jake est impassible.

Je me sens quelque peu responsable de Justin. Après tout, c'est mon client, donc c'est à moi de faire en sorte qu'il n'aille pas en prison et... qu'il reste en vie.

– Jake, je m'en occupe. Je... lui expliquerai.

– J'apprécie, marmonne-t-il d'un ton lugubre.

J'invite l'ado dans mon bureau et je ferme la porte derrière lui.

– C'était qui..., commence-t-il.

– Arrête tout de suite, je dis en désignant la chaise. Assieds-toi.

– Mais...

– Non, je grogne.

Je suis un mec sympa, détendu et sans souci... jusqu'à ce que je ne le sois plus. Dans ces moments-là, personne ne m'a jamais tenu tête.

Justin s'assoit, et je m'installe dans mon fauteuil, de l'autre côté du bureau.

– Est-ce que tu regardes *Game of Thrones*, Justin ?

– Ouais, bien sûr.

– Tu te souviens de l'épisode où un des mecs écrase la tête de l'autre avec ses mains ?

– Ouais... ?

Je désigne la porte.

– Continue à penser à cette nana, et c'est ce qui va t'arriver.

Il recule dans sa chaise et réfléchit à ce que je viens de lui dire. Sans doute revoit-il cette scène horrible que les gens du monde entier rêvent d'oublier.

Ce gamin est tenace, et si, pour moi, c'est une qualité, je dois lui couper l'herbe sous le pied.

– Mais je...

– Tu es un hacker de dix-sept ans qui est accusé de vol, de fraude et de tout un tas d'autres charges. Et, soyons honnêtes, tu es coupable. Cette *nana*, j'explique en désignant de nouveau la porte, est la fille de mon associé. Sa fille aînée, tu piges ?

Je pose les mains sur mon bureau et je ferme lentement les poings.

– De la bouillie, Justin, comme un vulgaire raisin.

Justin n'est pas un mauvais garçon. Il est intelligent, drôle, et il me fait penser à Matthew Broderick dans *Wargames*. Il ne s'est rendu compte qu'il était dans la merde et qu'il était allé trop loin que quand il s'est fait prendre. Or Riley est une nièce, à mes yeux, donc n'importe quel gars qui s'est fait menotter par les flics et qui a besoin d'un avocat n'est pas assez bien pour elle.

J'en rajoute une couche, histoire d'être sûr qu'il m'a bien compris.

– Et avant que tu ne te fasses de films sur la magie d'une histoire d'amour impossible, souviens-toi que *Roméo et Juliette* n'est pas une romance. C'est une tragédie. Ils *meurent*, Justin.

Il regarde en direction de la porte une dernière fois, puis il hoche fermement la tête.

– Ça roule, boss.

– Bien. Maintenant, parlons de ton procès. Où est ta mère ?

Justin hausse une épaule.

– Elle a eu un coup de fil de son avocat et elle a dû partir. Je rentrerai en bus.

Les parents de Justin sont en plein divorce. Un *vrai* divorce affreux. Ils se détestent tellement qu'ils ne peuvent même pas se parler au téléphone en présence de leur avocat. Sa mère est aigrie et son père est un connard. Ils sont tous les deux complètement égocentriques, et tout ce qui a trait à leur fils ne les intéresse absolument pas.

C'est probablement pour toutes ces raisons qu'il s'est retrouvé à hacker le serveur d'une banque internationale. Gamin malin + parents absents = problèmes.

Bien que son procès arrive dans quelques jours à peine, ils n'arrivent toujours pas à s'intéresser à leur enfant. C'est triste.

– Il y a un nouveau procureur sur ton affaire, je dis en lisant son dossier. Un certain K. S. Randolph. Je n'ai jamais entendu ce nom, mais je vais prendre rendez-vous avec lui pour parler de la possibilité d'un arrangement à l'amiable.

Justin hoche la tête et croise les bras.

– Pour du sursis, hein ? Parce que c'est la première fois que j'ai des soucis avec la justice ?

– Exactement. Et parce que tu n'as pas dépensé un centime de l'argent que tu as pris. Ne t'inquiète pas, Justin. Tu ne verras même pas l'intérieur d'une salle d'audience, ok ?

– Merci, Brent, dit-il en soupirant. Vraiment. Je ne sais pas si je te l'ai dit mais, tu es comme... un super héros pour moi. Merci.

C'est mon père qui m'a offert ma première bande dessinée. Il me l'a offerte quand j'étais à l'hôpital après l'accident qui m'a coûté la moitié de ma jambe. C'était un des rarissimes *Superman n° 1*, qui coûtait près d'un million de dollars, à l'époque. Il me l'a montré, il a enlevé l'emballage en plastique qui garantissait sa valeur, et on l'a lu ensemble. Parce que, m'a-t-il dit, l'acte de le lire avec moi valait beaucoup plus qu'un million de dollars à ses yeux.

Après ça, je suis devenu un fervent lecteur, et un collectionneur encore plus enthousiaste. Grâce aux BD, le temps passait plus vite, durant les mois qui ont suivi, et j'arrivais presque à oublier ma douleur et ma tristesse. Les héros me parlaient. Je comprenais ce qu'ils ressentaient, parce que chacun d'entre eux avait connu quelque chose de terrible, une expérience affreuse. Or, ils s'en sont tous sortis, et leur traumatisme les a rendus plus forts.

C'est comme ça que je voulais être perçu et que j'ai décidé de voir mon amputation. Ce serait la chose qui me rendrait meilleur, bien meilleur que je ne l'aurais été sans l'accident.

Même si Justin n'a pas idée de ce que ses mots représentent pour moi, ils sont précieux et ils me touchent sincèrement.

– Je suis là pour ça, fiston.

◆◆◆

Même quand j'étais gamin, même après l'accident, j'ai toujours eu un surplus d'énergie. En grandissant, la pire punition que pouvait m'infliger ma nounou était de m'obliger à rester assis dans un coin, face à un mur blanc, sans avoir quoi que ce soit à faire. J'avais l'impression d'être un singe en cage et ça me rendait dingue.

Ce trait de caractère m'a suivi dans ma vie adulte. C'est pour cela que je cours quinze kilomètres par jour et que la première chose que je fais en me levant le matin, c'est une longue série de pompes et d'abdos. C'est aussi pour ça que j'ai quatre balles anti-stress dans mon bureau, que je serre et desserre pendant que je dicte une motion ou que je parle au téléphone, et c'est grâce à tout cela que je suis vraiment musclé et endurant : deux choses qui sont fortement appréciées par les femmes.

Mon trop-plein d'énergie explique également pourquoi, alors que j'ai un majordome qui sert de chauffeur, je préfère marcher jusqu'au bureau tous les jours.

Lorsque je passe la porte de mon hôtel particulier, ce jour-là, il fait nuit. Ma maison a été décorée par un professionnel et, même si elle paraît ridicule à côté du palace dans lequel j'ai grandi – qui était sur une rue pleine de boutiques de luxe, de BMW, et de Lexus hybrides –, elle est parfaite pour un célibataire.

Enfin… un célibataire et son fidèle adjoint.

– Chéri, me voilà rentré ! j'annonce en refermant la porte.

Je le fais seulement parce que ça l'agace. Même pour un Anglais, Harrison est l'homme de vingt-deux ans le plus sérieux que je connaisse. C'est le fils du majordome adoré de mes parents, Henderson, et, lorsqu'il a décidé de suivre les traces de son père – et parce que ma mère fait encore des malaises en m'imaginant vivre seul –, j'étais ravi de prendre le môme sous mon aile. Maintenant qu'il est à la maison, je ne me vois pas vivre sans lui.

Harrison prend l'attaché-case que je tiens dans ma main. « Bienvenu chez vous, Monsieur. »

Je hausse un sourcil, me sentant comme un parent qui a eu mille fois cette même conversation avec son gamin.

Il fronce les sourcils.

– Brent, se force-t-il à dire. Bienvenu chez vous, Brent.

Avec sa peau pâle et ses taches de rousseur, Harrison ne paraît pas son âge, c'est une chose que nous avons en commun. C'est d'ailleurs pour cette raison que j'ai décidé de me laisser pousser la barbe, et aussi parce que cela plaît aux femmes.

– Comment s'est passée votre journée ?

Je lui mets une tape dans le dos.

– Géniale. Je meurs de faim. Qu'est-ce qu'on mange ?

– Du poulet à la citronnelle. J'ai dressé la table dehors, j'ai pensé que c'était la soirée parfaite.

Comme pour ma maison, j'ai laissé mon petit jardin entre les mains de professionnels. De hautes palissades en bois blanc en font le tour, ce qui est nécessaire car ce serait impoli d'obliger mes voisins à me regarder baiser. Et je baise beaucoup ici, parce que c'est là que se trouve mon énorme jacuzzi : en plein milieu, entouré de pelouse, de buissons qui restent verts toute l'année et de petits érables japonais.

Je m'assois à la table ronde couverte d'une nappe, et Harrison enlève la cloche argentée de mon assiette.

– Votre mère a téléphoné, dit-il en se redressant pour rester debout derrière moi. Votre cousine Mildred organise une fête pour le premier anniversaire de sa fille, samedi, à la propriété de Potomac. Les paroles précises de madame Mason étaient : « J'insiste pour qu'il soit là, et je viendrai le chercher moi-même s'il ne se présente pas à l'heure. »

Cela résume plutôt bien ma mère. Lorsqu'elle vous donne un ordre, mieux vaut lui obéir.

Je regarde Harrison avant de m'attaquer à mon plat.

– Est-ce que ça te dirait de te joindre à moi, Harrison ?

Ce n'est pas la première fois que je lui pose la question, mais sa réponse est toujours la même.

– J'apprécie énormément votre invitation, mais si j'accepte, mon père me reniera, et je tiens à lui.

– Alors va dîner, toi aussi, je réponds en hochant la tête. Je n'aurai besoin de rien d'autre.

Il fait une petite révérence presque imperceptible, puis il s'éloigne.

Au bout de quelques minutes, je réalise que tout est calme autour de moi, même les criquets ne sont pas de sortie. J'aime le silence autant que j'aime rester assis.

Avant, nous sortions beaucoup, mes associés et moi. Après le travail, nous dînions ensemble, nous allions boire un verre, et parfois nous allions danser. Cependant, ces derniers temps, il y a des berceaux à assembler, des gamins à conduire à droite et à gauche, et des mariages à organiser. Il y a d'autres gens avec qui je pourrais sortir, des connaissances, des vieux amis d'école, des femmes qui seraient ravies de recevoir mon appel, mais aucune de ces options ne semble mériter que je fasse un effort.

Le silence qui m'entoure me semble soudain étouffant et irritant, comme une vieille couverture de laine, et je me lève. Je prends mon assiette et je rentre, parce que même si mon jardin est génial, je préfère manger devant la télé.

3

Le samedi suivant, Harrison me dépose à la demeure de mes parents environ une heure après le début de la fête. Je lui dis d'aller faire ses courses et de revenir me chercher dans trois heures – et pas une minute de plus. Ce n'est pas que je n'aime pas ma famille, elle est géniale, mais... à petites doses. Si je passe trop de temps avec eux... vous verrez.

Mes pas résonnent sur le sol en marbre de l'immense hall d'entrée. Je passe devant la salle de musique, le premier salon, la véranda, la bibliothèque où trône un portrait de moi. J'ai cinq ans et je suis vêtu d'une salopette et d'une casquette qui me donnent l'air d'une mauviette. J'ai proposé à ma mère de lui donner mon premier enfant – un enfant que je n'aurai sans doute jamais – si elle accepte de décrocher cette photo, mais elle refuse. Si Stanton, Jake ou Sofia la voient un jour, je suis cuit.

À l'arrière de la maison, la cuisine est en pleine effervescence mais, étrangement, il n'y a guère de bruit. Les serveurs regarnissent des plateaux de champagne et de caviar ou remplissent des seaux de glace pour refroidir les plateaux de fruits de mer et maintenir les homards et les huîtres au frais.

Dehors, dans le jardin, des chapiteaux abritent les tables, l'orchestre, et les deux barmans derrière leur comptoir en zinc de trois mètres de long. Les seules choses qui manquent, ce sont les poussettes, les ballons multicolores et les clowns ou les magiciens. Après tout, c'est censé être l'anniversaire d'un bébé. En réalité, c'est surtout une fête pour les deux cents adultes qui se serrent la main, se claquent la bise et discutent en faisant semblant de s'apprécier.

Oui, j'ai bien dit deux cents adultes : seuls les amis proches et la famille ont été invités.

Voyez-vous, mon père est le plus jeune d'une fratrie de huit enfants. Ma mère, la plus jeune d'une fratrie de *douze*. Des deux côtés, tous sont en excellente santé, ils ne meurent jamais. Il y a donc des neveux et des nièces, des oncles et des tantes, des petits-neveux et des petites-nièces et des cousins à n'en plus finir. Et tous sont là aujourd'hui.

En plus de leur santé de fer, les membres de notre famille ont un autre trait de caractère saillant. Certains diraient qu'ils sont… excentriques. Moi, je dirais qu'ils sont complètement tarés.

Prenons ma tante Bette, par exemple. C'est cette femme en robe beige qui regarde en haut de l'arbre et qui parle aux oiseaux comme une clocharde dans un jardin public. Elle a quatre enfants et cela fait des années qu'elle ne parle à aucun d'entre eux. Elle préfère la compagnie de ses pigeons de course ; sans rire, je crois même qu'elle a gagné des prix.

Il est important d'avoir un but, dans la vie. Il y a bien plus de gens de ma catégorie socio-culturelle qui sont morts d'ennui plutôt que des suites de cancers ou de maladies cardio-vasculaires. La plupart des gens travaillent pour subvenir à leurs besoins primaires, manger, s'habiller, avoir un toit sur la tête, et ces besoins donnent une motivation et une ambition. C'est une raison vous pousse à vous lever le matin. Or, lorsque ces besoins sont déjà assurés sans que vous n'ayez rien à faire, comment occuper ses journées ?

Si vous êtes bête, vous sombrez dans la drogue, l'alcool, ou les jeux d'argent. L'ennui est une véritable maladie. Soit vous en guérissez en faisant quelque chose que vous aimez, soit vous mourez dans la bataille.

– Salut, cousin.

Et puis, il y a mon cousin Louis, un petit mec chétif qui essaie de cacher sa calvitie en coiffant ses cheveux de gauche à droite. Nous savons tous qu'il vaut mieux assumer d'être chauve, bien sûr, mais Louis ne semble pas l'avoir compris. La richesse rend parfois les gens méchants, toutefois, Louis pourrait n'avoir que deux dollars sur son compte en banque, ce serait quand même une pourriture. Il est né comme ça.

– Louis, je dis en lui serrant la main.

Vous remarquerez que je ne lui ai pas demandé comment il va ? C'est parce qu'il va me le dire, que ça m'intéresse ou non.

– Ça va super, mec. Je viens de conclure un deal génial. J'ai racheté une propriété hyper bien placée et je vais la démolir pour y mettre un parking. Mon larbin distribue des notices d'éviction aux locataires – des nonnes et des orphelins, ou un truc comme ça –, mais bon, les affaires sont les affaires, hein ?

– Pas vraiment, non.

Il ne m'entend pas, par-dessus le bruit de sa propre voix qui résonne en permanence dans sa tête. Je remarque que son regard se pose sur le cul d'une brunette à ma droite.

– Waouh, Cynthia Berdsley a bien grandi, tu ne trouves pas ? remarque-t-il, avant de rediriger son attention sur moi. Tante Kitty ne t'a pas encore marié ?

– Non.

– Tu sais, on doit tous y passer un jour où l'autre. Je te parie une bouteille de *Chivas Royal Salute 50*[1] qu'elle t'aura fiancé avant la fin de l'année.

– Ça roule, je dis en serrant sa main.

Louis est peut-être un connard, mais je ne vois pas pourquoi je dirais non à une bouteille à dix mille dollars.

Je repère mon père, de l'autre côté de la pelouse, et je file dans sa direction. Pour ce qui est de mon physique, il est évident que c'est de lui que je tiens : nous sommes tous les deux grands avec d'épais cheveux bruns, des yeux bleus, et une gueule qui paraît toujours avoir quinze ans de moins qu'en réalité.

Nous nous serrons la main et il me tapote l'épaule affectueusement.

– Fiston.

– Salut Papa.

– Comment vont les criminels, de nos jours ? demande-t-il en sirotant son whisky.

Et nous voilà repartis.

Mon père n'a jamais aimé les gens qui se permettent de ne rien faire sous prétexte qu'ils ont un nom de famille célèbre. Lorsque j'étais adolescent, nos repas de famille ressemblaient à l'Inquisition espagnole : À quoi as-tu contribué, aujourd'hui ? Comment t'es-tu démarqué des autres ? Pourquoi se souviendra-t-on de toi ? Lorsque j'ai commencé la fac de droit, il s'est mis en tête que je ferais

---

1. Whisky de cinquante ans d'âge.

de la politique. Je serais d'abord Brent Mason, procureur de la République, puis Brent Mason, magistrat, puis Brent Mason, sénateur, et ainsi de suite.

Au lieu de cela, je suis devenu avocat de la défense en droit pénal, et mon père ne s'en est jamais remis.

– Ce sont des accusés, Papa, pas des criminels.

– Il y a une différence ?

– Il doit y en avoir une pour ceux qui sont innocents, oui.

Certes, presque aucun de mes clients n'est innocent, mais les gens enfreignent rarement la loi pour s'amuser, il y a presque toujours des circonstances atténuantes. Ma motivation, à moi, c'est de donner une deuxième chance à ceux qui ne sont pas nés dans une famille où tout leur est servi sur un plateau d'argent.

– Je joue au squash avec quelqu'un qui est haut placé au ministère de la Justice, dit-il.

Mon père joue au squash avec tout le monde, mais il n'aime pas donner de noms, parce que pour lui, l'argent et le réseau sont comme dans *Fight Club* – la première règle est de ne jamais en parler.

– Ils sont toujours à la recherche de bons gars, penses-y, Brent.

– C'est rangé dans un coin de ma tête, je réponds en tapotant ma tempe.

– Brent, mon chéri, te voilà ! dit ma mère de sa voix douce en venant à moi.

Tout chez ma mère est doux, délicat, et tendre. Comme une rose dont les pétales s'envoleraient si on soufflait dessus. Elle n'a jamais juré de sa vie, elle n'a jamais élevé la voix, pas même quand j'avais sept ans et qu'elle a dû m'emmener aux urgences parce que j'avais enfoncé du pop-corn dans mes narines pour voir combien je pouvais en stocker.

La réponse est vingt-trois, au cas où vous vous poseriez la question.

– Salut, Maman, je dis en l'embrassant sur la joue.

Elle promène sa main sur le coton de mon polo bleu ciel.

– Cette couleur te va très bien, mon chéri.

– Merci.

Elle me regarde avec des yeux pleins de dévotion.

– Marche avec moi, Brent.

Merde. Pour ma mère, cette phrase est l'équivalent de « Il faut qu'on parle » lorsqu'on est en couple. Ça ne finit jamais bien.

Elle passe son bras sous le mien et nous nous éloignons de la foule.

– J'ai beaucoup lu, ces derniers temps, commence-t-elle, et j'ai beaucoup réfléchi. Tu as trente-deux ans, mon chéri. Tu es beau, tu t'habilles bien, tu danses bien, tu as toujours été très propre sur toi.

Sa dernière remarque est bizarre et je la regarde d'un air confus. Cependant, je la laisse poursuivre.

– Le fils de Talula Fitsgibbons est né la même année que toi, et il lui a récemment annoncé qu'il était homosexuel.

Doux Jésus.

– Mais ce n'est pas tout, poursuit-elle. Il lui a dit qu'il avait engagé une adorable mère porteuse et qu'elle attendait des jumeaux. Ce n'est pas fou, ça, Brent ? Des jumeaux !

– Maman…

Hélas, lorsque ma mère est lancée, plus rien ne peut l'arrêter.

– Alors je voulais que tu saches que, si tu étais homosexuel, ton père et moi t'aimerions tout autant. Du moment que tu as des enfants, ajoute-t-elle en me tapotant le bras.

– Je ne suis pas gay, Maman.

Elle semble déçue.

– Tu es sûr ?

– Maman, je ne pourrais pas être *moins* gay.

Elle pose le bout de son index manucuré sur sa lèvre et elle réfléchit.

– Très bien. Alors dans ce cas, j'aimerais que tu parles à la petite-fille de Celia Hampshire. Elle est là et elle est charmante.

– La petite-fille de Celia Hampshire est au lycée.

– Non, elle a eu son bac il y a un mois.

– D'accord… mais je vais me chercher un verre. On peut reparler de ça plus tard ?

– Bien sûr, mon chéri. Je suis contente que tu sois là.

Comme je l'aime, je ne peux faire autrement que lui mentir.

– Moi aussi, Maman.

Ma mère retourne auprès de mon père, sans doute pour lui annoncer que je ne suis pas gay, et je file en direction du bar.

Cependant, j'ai à peine fait trois pas que je sens un bras prendre le mien et que je reçois un coup de hanche.

– Tu es *sûr* que tu n'es pas gay ? Tu as conscience que ça signifie que ma pauvre Tante Kitty est exclue du cercle *in* ?

Je prends ma cousine Katherine dans mes bras.

– Dieu merci, tu es là.

Ses yeux marron sont étincelants tandis qu'elle éclate de rire.

– Pourquoi, parce que je suis la seule de la famille à ne pas être folle ?

– Oui, exactement, je réponds.

Katherine est ma cousine préférée. Elle est un peu garçon manqué, elle parle fort, et son sourire est si contagieux qu'on ne peut s'empêcher de se joindre à elle. Lorsque nous étions jeunes et que mes autres cousins disaient que j'étais trop petit, trop agaçant, pour jouer avec eux, Katherine s'assurait toujours que je sois inclus. Pour mes vingt et un ans, elle s'est pointée à ma fac et elle m'a emmené boire ma première bière légale. On ne choisit pas sa famille, mais si c'était possible, j'aurais choisi Katherine avec grand plaisir.

Son fils de quatre ans percute ma jambe, suivi de près par sa sœur de deux ans.

– Tonton Brent ! crie-t-elle.

– Annie, mon bébé, je dis en la prenant dans mes bras. Salut Jonathan, ça gaze ?

Le petit blondinet penche la tête en arrière sans lâcher ma jambe.

– Je fais plus pipi au lit, maintenant.

– Alors bravo, tu es un homme ! je dis en lui tendant la main pour qu'il la tope.

Annie gigote dans mes bras, alors je la pose par terre et ils se mettent tous deux à courir autour de nous.

– Où est Patrick ? je demande à Katherine.

Elle hausse les épaules et l'étincelle dans son regard disparaît.

– Il est au Portugal, en voyage d'*affaires* avec sa secrétaire.

Patrick est le mari de Katherine et je vais lui botter le cul la prochaine fois que je le vois.

– Allez viens, ne t'énerve pas, dit-elle. C'est comme ça, c'est tout.

– Ouais, et c'est tordu. Pourquoi tu acceptes ça sans rien dire ?

– Parce que quand il est là, c'est un bon mari, et aussi un bon père. Parce que les enfants l'adorent, et moi aussi.

– Tu mérites mieux, Kat. Beaucoup mieux.

– Peut-être, mais c'est *lui* que je veux.

Je secoue la tête tandis qu'Annie tire sur mon jean en désignant un buisson.

– Tonton Brent, je veux le papillon, mais il veut pas venir !

– D'accord, alors toi, Jonathan et moi, on va aller trouver ce papillon.

Katherine m'offre un sourire reconnaissant et nous partons tous les trois à la chasse.

◆◆◆

Deux heures plus tard, j'observe la foule monochrome. Je suis face à une mer de beige : des pantalons crème et des robes taupe, parce que tous veulent se copier et éviter d'être étiquetés trop flashy ou trop ostentatoires. Soudain, un éclat écarlate émerge du chapiteau blanc. Peut-être cet après-midi ne sera-t-il pas une perte de temps, après tout.

La robe rouge est élégamment séduisante. Elle arrive au genou, elle est sans manches, et le décolleté tombant se noue derrière la nuque. Cependant, c'est le corps *sous* la robe qui est vraiment spectaculaire. Elle est minuscule, mais non moins féminine pour autant. Sa peau est couleur pêche, sa taille est fine, ses bras toniques, sa poitrine est généreuse sans être énorme et ses jambes sont parfaitement musclées. Ses cheveux épais sont blonds et quelques mèches presque blanches s'échappent de son chignon décoiffé. Elle est superbe. Je n'ai pas la moindre idée de qui elle est, mais j'ai la ferme intention de le découvrir.

Elle me remarque alors que je vais vers elle, et ses yeux turquoise me reluquent de la tête aux pieds. *Profite de la vue, bébé.*

– Salut, je dis en souriant.

Son visage m'est familier et chatouille mes souvenirs, mais je n'arrive pas à mettre la main dessus. Je me demande si c'est une amie d'une de mes cousines – peut-être une demoiselle d'honneur que j'aurais chopée à un mariage ?

– La fête te plaît ?

Elle scanne la foule en sirotant son champagne.

– Oui, la star de la journée doit être ravie. S'il y a bien une chose qu'une gamine d'un an veut pour son anniversaire, c'est du champagne et du caviar.

Du sarcasme, ça me plaît, c'est un signe d'intelligence et de confiance en soi. Cependant, j'aime encore plus son cul, que je ne manque pas de reluquer dès que j'en ai l'occasion.

– Les rumeurs disent que tu as monté ton propre cabinet, dit-elle. Que tu as ton propre immeuble avec ton nom dessus ?

Ses seins sont assez phénoménaux aussi, en fait. Presque trop petits, un bonnet B, pas plus, mais je parie qu'ils sont fermes et délicieux. L'avantage, c'est qu'elle peut se permettre de ne pas mettre de soutien-gorge et que ses tétons doivent transparaître sous son tee-shirt quand elle est excitée. J'adore ça chez les femmes.

– Oui, ça fait presque deux ans, maintenant. On commence à se faire connaître.

– Tu dois être fier.

– Je le suis.

Elle hausse une épaule.

– Je trouve ça *on ne peut plus* prétentieux.

– Je te demande pardon ? je dis en la dévisageant.

– C'est une arnaque, l'histoire du jeune avocat courageux qui quitte son cabinet de prestige pour servir les pauvres gens, répond-elle d'une voix moqueuse. C'est facile d'être courageux quand on a l'argent de papa derrière soi.

– C'est sacrément présomptueux de ta part, je réponds en fronçant les sourcils.

– Non, ce qui est présomptueux, c'est de penser que tu peux venir ici, mater mes seins et mon cul, et supposer que je ne vais rien dire.

Apparemment, je n'étais pas si discret que ça.

– Est-ce que c'est un mot, *matable* ? Si oui, alors tu es hypermatable. Beaucoup de femmes le prendraient comme un compliment.

– La plupart des femmes sont stupides, répond-elle en me faisant face. Et elles ne savent pas quel petit con égoïste et immature tu peux être.

Petit ?

– Mais tu es qui, bon sang ?

Elle me dévisage quelques secondes sans rien dire, la bouche légèrement ouverte, puis elle éclate de rire.

– Mon Dieu, j'ai beau avoir imaginé des centaines de scénarios, je n'aurais jamais pensé que tu m'oublierais *complètement*. Je suppose que je ne devrais pas être surprise, j'étais facile à oublier, à l'époque.

– Qu'est-ce que ça veut…

Une femme crie « Kennedy ! », me coupant la parole et le souffle. Mitzy Randolph, une des meilleures amies de ma mère et notre voisine, vient vers nous et embrasse la belle blonde à mes côtés.

– Je t'attendais, lui dit-elle.

– Ça fait vingt minutes que je suis là, Mère.

J'hallucine.

Madame Randolph se tourne vers moi sans lâcher sa fille.

– N'est-ce pas fabuleux que notre chère Kennedy soit revenue, Brent ?

– Si… c'est fabuleux, je réponds bêtement, estomaqué.

Mitzy prend les mains de sa fille dans les siennes et écarte ses bras sur le côté, inspectant sa fille, l'évaluant, comme au bon vieux temps.

– Je suis tellement contente que tu aies quitté le Nevada. Tous ces casinos miteux et la poussière du désert… Cet air sec a fait de sacrés dégâts à ta peau. Je vais prendre rendez-vous pour toi chez mon esthéticienne, cette semaine. Tu verras, elle fait des miracles.

Kennedy soupire d'un air résigné.

– Merci, Mère.

– Maintenant, je vous laisse rattraper le temps perdu, dit Mitzy. Je vois que les Vanderblast sont là, et si je ne passe pas au moins dix minutes avec Ellora, elle va faire un caprice.

Lorsque nous nous retrouvons seuls, je ne me retiens plus de la dévisager. Il fut un temps où cette femme était ma meilleure amie. Pendant quelques merveilleuses minutes, elle a même été plus. Après, elle m'a détesté, puis… elle est partie.

Cela fait quatorze ans que je ne l'ai pas vue, et la dernière fois, elle ne ressemblait en rien à ce qu'elle est devenue.

Elle me regarde, la tête penchée sur le côté, une main sur la hanche, le visage plein de dédain.

– Salut, Connard.

Ok. Maintenant, je suis convaincu. C'est bien Kennedy.

4

Il me faut quelques secondes pour parvenir à me remettre de ma surprise.

– Kennedy Randy Randolph.

Son sourire s'efface aussitôt.

– Mon deuxième prénom est Suzanne.

– Je sais, mais je ne t'ai jamais trouvé de surnom. Cela dit, je me souviens maintenant qu'on avait déjà essayé Randy. Ça ne collait pas. Je vais continuer de chercher.

Je secoue la tête et je la reluque des pieds à la tête une nouvelle fois, parce que maintenant que je sais qui elle est, je suis encore plus excité de la voir.

– Bon sang, tu es…

– Oui, je sais, soupire-t-elle avant d'inspecter sa manucure, à la manière des garces dans les films. Merci, ajoute-t-elle sans la moindre sincérité, comme si elle avait entendu des milliers de compliments dans sa vie.

Cela dit, c'est sans doute le cas.

– Mais qu'est-ce que tu as fait à tes yeux ? je demande en m'approchant de son visage.

– Ça s'appelle des lentilles de contact.

– Eh ben enlève-les tout de suite. Je n'aime pas. La vraie couleur de tes yeux est superbe.

Époustouflante, même, noisette avec des éclats dorés. Je reconnaîtrais les yeux de Kennedy n'importe où.

– Et toi, qu'as-tu fait à ta tronche ? demande-t-elle en croisant les bras.

– Je me suis laissé pousser la barbe, je réponds en touchant ma joue.

– Eh bien rase-la. On dirait un vagin dans un porno des années soixante-dix.

Je réprime un sourire : j'ai toujours aimé me chamailler avec elle. Kennedy a une repartie hilarante.

– Je commence à penser que tu ne m'aimes plus, ma douce.

Elle me défie du regard.

– Tu supposes donc qu'il y a eu une époque où je t'appréciais ?

– Bien évidemment. Tu as oublié l'été où tu m'as montré tes nibards ? Tu n'aurais jamais fait ça si tu ne m'aimais pas.

– Je ne t'ai pas montré mes nibards, rétorque-t-elle.

– Bien sûr que si. C'est les premiers que j'ai vus : ils sont gravés à jamais dans ma mémoire.

Elle serre sa mâchoire et grince des dents.

– J'ai sauté dans la piscine et mon maillot de bain est remonté.

– Moi j'appelle ça un lapsus révélateur de tétons. Inconsciemment, tu as fait exprès parce que tu me kiffais.

– Je vois que tu es toujours aussi arrogant. Tu t'es fait diagnostiquer comme psychopathe ou pas encore ?

– Ça ne veut pas dire que tu ne m'aimais pas, je réponds en ignorant sa remarque.

Derrière Kennedy, je vois ma mère nous observer en souriant. Elle serait plus subtile avec des jumelles.

– Ma mère nous regarde.

Kennedy pose son verre vide sur le plateau d'un serveur et elle en prend un plein.

– Bien sûr qu'elle nous regarde. Elle a toujours espéré que je donnerais naissance à ta progéniture.

– C'est ridicule, non ? je réponds en observant sa réaction.

– Bien sûr, répond-elle. Jamais je ne pourrais être avec quelqu'un comme toi. Tu as la maturité d'un gamin de douze ans.

– Et toi tu en as la poitrine, je rétorque.

Je m'attends à ce qu'elle me crache une réponse assassine à la figure, mais elle se contente de me regarder en haussant un sourcil.

– Tu ne fais que prouver ce que je dis.

Ironiquement, mon premier instinct est de lui tirer la langue, mais je me retiens pour ne pas lui donner cette satisfaction.

– De toute façon, ajoute-t-elle avec un sourire hautain, je suis avec quelqu'un. Tu as peut-être entendu parler de lui, David Prince ?

David Prince est un sénateur junior de l'Illinois qui vise la Maison-Blanche. Apparemment c'est une rock star, on dit que c'est le nouveau John F. Kennedy. La totalité du Parti Démocrate ainsi qu'une partie des Républicains ont sans doute une photo de lui dans leur bureau – un peu comme mes seize cousines (et deux de mes cousins) avaient celle de Bon Jovi dans leur chambre.

– Tu sors avec un *politicien* ? je demande comme si c'était un gros mot.

Selon mon expérience, les hommes politiques sont tous pourris.

– C'est toi qui dis ça ? Alors que tu as failli faire de la politique ?

– Seulement dans les rêves les plus fous de mon père. Cela dit, tu as toujours dit que tu voulais épouser un prince. Apparemment, ton vœu est sur le point de se réaliser.

– C'est ma mère qui disait ça. Pas moi.

– Dans ce cas, elle doit être aux anges. Tu es enfin devenue tout ce qu'elle voulait, je dis en ricanant.

Jeu, set et match.

Quelque chose change dans le regard de Kennedy et j'ai soudain l'impression que nous ne plaisantons plus.

– Pas *tout*. Ma mère souhaitait aussi que je devienne danseuse étoile.

Il y a quelques années, j'ai su que Kennedy étudiait à l'université de Brown, mais en dehors de ces quelques détails, rien. Son père est du genre à ne jamais se taire et sa mère adore se vanter, or Kennedy ne fait plus partie de leurs sujets de conversation depuis qu'elle a quitté le pensionnat. Toute information à son sujet est férocement gardée.

– C'est ce que tu faisais à Las Vegas ? Tu dansais ? Tu n'es pas un peu petite, pour être strip-teaseuse ?

Cela dit, si elle l'était, ça ne m'empêcherait pas d'être assis au premier rang.

Elle hoche lentement la tête avec un air satisfait.

– Ouais, trop petite pour une strip-teaseuse, mais je fais pile la bonne taille pour être procureur fédéral.

Je m'arrête net.

– Tu es procureur… ?

– L'affaire Mariotti, le capitaine de la mafia ? C'était moi. Je viens d'être transférée au bureau de Washington, et j'ai hâte de jouer à domicile.

Durant les quatorze dernières années, j'ai beaucoup réfléchi à ce que je ressentirais si je revoyais Kennedy

Randolph, mais jamais je n'ai pensé que nous serions adversaires au tribunal.

– Tu réalises que ça fait de nous des ennemis mortels ? Tu es l'équivalent de Lex Luthor pour Superman.

– Si nous devons vraiment parler comme des enfants, je dirais plutôt que je suis l'équivalent de Wendy pour ton complexe de Peter Pan.

J'ignore sa vanne parce que je suis trop occupé à reconstruire le puzzle.

– Attends une seconde, ton deuxième prénom est Suzanne.

– Je viens de le dire, mais oui, bravo !

– C'est *toi*, K. S. Randolph ?

Elle sourit jusqu'aux oreilles, révélant toutes ses belles dents blanches.

– Oui. C'est ma dénomination professionnelle.

– C'est *toi* le procureur dans mon affaire Longhorn ?

– Absolument ! s'exclame-t-elle joyeusement.

– J'ai passé la semaine à essayer d'obtenir un rendez-vous avec toi, pour qu'on parle.

Elle fait mine d'être confuse.

– Pourquoi aurions-nous besoin de parler ?

– Ben, pour réduire les charges contre mon client.

Quatre-vingt-dix-sept pour cent des affaires criminelles se terminent en négociations de plaidoyer.

– Brent, Brent, Brent, ricane Kennedy usant d'un ton machiavélique, je ne négocie jamais. *Jamais*. C'est pour cela que je suis connue, d'ailleurs. Ah, et je n'ai jamais perdu la moindre affaire, non plus. Je suis connue pour cela, également.

J'avais tort. Ce match est loin d'être fini. Il ne fait que commencer.

– Justin Longhorn a dix-sept ans, je réponds.

– Exactement. Il a largement l'âge de savoir que ce qu'il a fait est illégal.

– C'est son premier délit !

– Et quel beau début ! Je vise la peine maximale. Ton gamin risque de passer vingt ans en prison.

Lorsque nous étions jeunes, je me souviens d'une Kennedy intelligente, hilarante, et socialement je-m'en-foutiste. En revanche, jamais elle n'était malveillante. Or, je constate qu'aujourd'hui elle a acquis une férocité qu'elle ne possédait pas avant. Comme un chihuahua sur lequel on aurait marché une fois de trop.

Une part de moi trouve cela excitant à n'en plus finir. Elle n'est plus une fille, c'est une femme forte et pleine d'assurance. Le genre de femme dont j'adore empoigner les cheveux lorsqu'elle me suce. Le genre qui me supplie d'aller plus vite lorsque je la prends contre un mur.

Toutefois, une autre part de moi regrette sa douceur infantile. Cette créature courageuse, innocente et sauvageonne qui grimpait sur le guidon de mon vélo et me faisait confiance pour ne pas la faire tomber. Celle qui, juste après mon accident, a pris ma main pour danser, parce qu'elle se croyait assez forte pour me rattraper si je trébuchais avec ma nouvelle prothèse.

Ensuite, il y a l'avocat en moi qui est tout simplement fou de rage, parce qu'elle va compliquer une affaire qui aurait dû être très simple.

– À quoi tu joues, Kennedy ? je demande en faisant un pas vers elle. Il a rendu l'argent. C'était une erreur. C'est un enfant.

Elle lève la tête vers moi et me regarde avec des yeux pleins de détermination.

– Ce qu'il a fait n'est pas un délit mais un crime. C'est donc un *criminel*. Et un tyran. Il a joué avec l'épargne d'une douzaine de gens. Il a ruiné leur sentiment de sécurité, juste parce qu'il le pouvait. Il a volontairement et sciemment volé des milliers de dollars – peu importe qu'il les ait rendus –, et je vais m'assurer qu'il sera puni.

– Bien le bonjour, Inspecteur Javert[2].

Kennedy secoue la tête en gloussant.

– Tu as toujours su faire le malin, Brent. C'est adorable. J'espère pour ton client que tu ne bluffes pas avec lui.

Je baisse la tête afin que mes lèvres ne soient plus qu'à quelques centimètres des siennes.

– Tu sais très bien que le bluff, ce n'est pas mon genre.

Elle regarde ma bouche un peu trop longtemps, puis elle cligne des yeux et se ressaisit.

– Tant mieux. Dans ce cas, nous nous verrons au tribunal.

– J'ai hâte.

Elle m'effleure en passant devant moi, ne me laissant d'autre choix que de la regarder partir.

◆◆◆

Après cet échange, nous ne nous reparlons pas. Cependant, je passe le reste de l'après-midi à la regarder discrètement, à noter où elle est, avec qui elle parle. Je me sens nerveux dès qu'elle est hors de ma vue un peu trop longtemps, et soulagé lorsque je la revois. J'ai passé des années à me demander ce qu'elle faisait et où elle était. Je mourais d'envie de la voir, comme un alcoolique qui désespère de retremper un jour ses lèvres dans un verre.

---

2. Inspecteur de police dans *Les Misérables*, de Victor Hugo.

Cela n'a pas été facile, mais j'ai fini par lâcher l'affaire, parce qu'il ne sert à rien de faire des hypothèses lorsqu'on n'a aucun moyen de les vérifier. Ainsi, j'ai beau adorer la revoir, je ne suis pas ravi de sombrer une nouvelle fois.

– Je ne veux pas partir ! crie Jonathan en tirant sur la main de sa mère et en enfonçant ses talons dans l'herbe.

– Je veux voir le feu d'artifice !

Katherine vient de dire à ses enfants qu'il est tard et qu'il est l'heure de rentrer à la maison, et je me place à ses côtés pour qu'elle ne soit pas seule face aux deux monstres.

– Maman, on va rater le feu d'artifice ! hurle Jonathan.

– Calme-toi, petit homme, je lui dis. Il n'y a pas de feu d'artifice, ce soir. Il n'y en a que pour le nouvel an.

Tous les ans, mes parents sortent le grand jeu et organisent un bal du nouvel an – ils font cela depuis que je suis né. Tout le monde est en costard, en robe de soirée, et il y a des fontaines de champagne à volonté. Le clou de la soirée est que, à minuit, un superbe feu d'artifice peint le ciel et la rivière Potomac de toutes les couleurs. On envoie les jeunes enfants comme Jonathan et Annie se coucher dans une des dizaines de chambres bien avant minuit. Mais à l'évidence, Jonathan et Annie sont au courant pour les feux d'artifice. Je suis certain qu'ils se lèvent pour les regarder par la fenêtre, en tout cas, c'est ce que je faisais tous les ans, à leur âge.

Sauf que je ne les regardais pas par la fenêtre, et que je ne les regardais pas seul.

– Je passe en premier, je dis à Kennedy au pied de l'échelle. Comme ça je peux ouvrir la trappe.

Même si nous avons tous les deux neuf ans, elle est beaucoup plus petite que moi. C'est la première fois que nous montons sur le toit et je suis le garçon, donc il est normal que je passe d'abord. Il pourrait y avoir des oiseaux enragés ou des chauves-souris.

On est dans l'immense grenier où mes parents rangent les vieilles valises, des livres, des tableaux et des robes de soirée. Il fait noir, l'air est poussiéreux, et si vous regardez le même objet trop longtemps, vous avez l'impression qu'il se met à bouger. Kennedy adore venir ici.

– Dépêche-toi, ça va bientôt commencer, je lui dis. On remontera demain.

Ses yeux sont grands ouverts derrière ses lunettes à verres épais et à bords jaunes. Elle balaye la pièce du regard une dernière fois, puis elle hoche la tête.

– D'accord.

Je monte l'échelle et j'ouvre la trappe du plafond, puis je sors sur le toit et je me penche pour lui tendre la main. Elle la saisit en me rejoignant sur le faîte plat. Parfois, Kennedy dit que j'habite dans un château – le château Mason –, à cause de la salle de bal. Or sa maison est tout aussi grande que la mienne. Ses parents n'ont pas de salle de bal, mais ils ont un cinéma, ce qui est mille fois plus cool.

Le vent glacial s'engouffre sous ma robe de chambre et je regarde les nuages blancs qui s'échappent de nos bouches. Le ciel est parfaitement noir au-dessus de nos têtes, et les étoiles sont si étincelantes et si proches que j'ai l'impression qu'il me suffirait de tendre la main pour en saisir une.

Kennedy tournoie sur elle-même aussi vite que possible, ses longs cheveux virevoltant derrière elle.

– Tu avais raison, c'est génial ! s'exclame-t-elle en souriant de tout son appareil dentaire.

Je souris aussi, jusqu'à ce qu'elle s'approche trop du bord du toit, alors j'empoigne sa main pour la ramener à moi.

– Fais gaffe !

Nous nous asseyons près d'une des cinq cheminées pour nous abriter du vent. Lorsque Kennedy commence à claquer des dents, je passe mon bras autour d'elle et elle se blottit contre moi. Nous parlons en attendant que le spectacle commence.

– ... Ils m'ont autorisé à arrêter l'escrime et à commencer le lacrosse, à la place. C'est trop bien.

– Tu as tellement de chance ! Mère dit que je ne pourrai pas arrêter la danse, même si je me cassais la jambe. Elle a dit que j'allais épouser un prince et qu'aucun prince ne veut d'une princesse qui ne sait pas danser.

Des airs de musique nous parviennent depuis l'orchestre, au rez-de-chaussée.

– Je me demande si Claire danse avec ton cousin Louis, dit Kennedy. Elle m'a dit qu'elle allait l'embrasser à minuit.

– Pourquoi ? je demande en grimaçant.

– Ben, elle a dit que c'est ce qu'il faut faire à minuit. Il faut embrasser le garçon qu'on aime.

Je continue de grimacer, parce que je n'arrive pas à concevoir que quelqu'un aime Louis au point de vouloir l'embrasser.

Tout à coup, des dizaines de voix nous parviennent depuis la véranda en contrebas.

« 10... 9... 8... »

Quelques secondes plus tard, l'orchestre se met à jouer « Auld Lang Syne »[3] *et le ciel s'illumine de toutes les couleurs. Des explosions de rouges, de bleus, de violets argentés et de verts dorés se reflètent sur la surface de la rivière.*

Pendant que je regarde le feu d'artifice, Kennedy se tourne vers moi et elle m'embrasse sur la joue.

– Bonne année, Brent, chuchote-t-elle.

Je la regarde en souriant.

– Bonne année, Kennedy.

---

3. Chanson écossaise connue en France sous le nom de « Ce n'est qu'un au revoir », qui est chantée à la nouvelle année dans beaucoup de pays anglo-saxons.

Je mets mes souvenirs de côté et je balaye le jardin des yeux à la recherche de la robe rouge. Lorsque je la trouve, je ne ressens pas seulement un soulagement, il s'agit d'autre chose. Quelque chose de plus brut, de plus chaud, de plus insatiable.

Parce que Kennedy me fixe des yeux.

Elle ne remarque pas que je l'ai vue. Elle est trop occupée à mater mon torse, mes bras, mon cul. Son regard est brûlant et ses joues sont légèrement roses, et je ne pense pas que ce soit à cause du soleil. Je me tourne vers elle, bras écartés, pour qu'elle ait une meilleure vue de mon superbe corps, et elle lève brusquement les yeux.

Je souris en coin en haussant un sourcil. Elle ouvre légèrement la bouche et ses joues virent du rose au rouge. Je lève la main pour la saluer, mais elle redresse le menton et part dans la direction opposée à la mienne.

Vous savez quoi ? Je sens que je vais beaucoup m'amuser.

5

Dix jours plus tard, c'est le premier jour du procès Longhorn. J'entre dans le tribunal vêtu de mon plus beau costume bleu marine assorti de mes boutons de manchette porte-bonheur. Je suis prêt à me battre.

Madame *Je-ne-négocie-jamais-jamais* m'a fait comprendre que c'était la guerre. Si c'est ce qu'elle veut, c'est ce qu'elle aura. Lorsque je me bats, c'est pour gagner. Que ce soit dans une salle d'audience ou ailleurs.

Je pose mon attaché-case sur la table derrière laquelle se trouve déjà Justin. Il a l'air très jeune et très respectable dans sa veste grise et sa cravate bordeaux. Il a paniqué, et c'est normal, quand je lui ai dit que le programme avait changé et que son affaire allait finalement devant un jury. Aujourd'hui, c'est son père qui est là. Il est assis derrière son fils, au premier rang réservé au public, rivé à son téléphone. Nous avons mis un programme au point pour que ses parents viennent un jour sur deux afin qu'ils montrent leur soutien au juge sans jamais se croiser.

Kennedy entre, tirée à quatre épingles.

Elle est canon, vêtue comme une héroïne dans une de mes bandes dessinées – mi-strip-teaseuse, mi-assassin carriériste. Elle porte une jupe crayon en cuir noir, une chemise en soie noire – qui colle à sa poitrine partout où il faut – qui est légèrement déboutonnée pour montrer un collier en argent avec un pendentif en onyx noir. Ses cheveux sont relevés dans un chignon haut et son maquillage est léger, accentuant sa beauté naturelle.

Elle prend place derrière sa table, se tourne vers moi et me sourit. Ma queue réagit comme un serpent face à un charmeur, remuant et grossissant en présence de ce sourire époustouflant qui est à la fois doux et machiavélique : délicieux mais mortel. C'est un sourire qui dit *«Je vais te détruire, et tu vas adorer ça»*.

Elle a remis ses lentilles turquoise et je dois dire que je suis soulagé, parce que ses yeux naturels auraient sans doute raison de moi – je passerais probablement la journée à essuyer la bave sur ma bouche.

Elle se tourne face à sa table pour y poser des dossiers et mes yeux se promènent sur son physique parfait. *Putain*, elle porte des bas de Nylon. Ils ont cette ligne noire qui remonte le long de ses mollets, puis de ses cuisses, et qui disparaît sous sa jupe. Je m'essuie le menton, au cas où, mais ça va, pas de bave.

L'huissier de justice nous dit de nous lever et le juge, l'Honorable Monsieur Phillips, entre dans la salle. Il s'assure que les deux parties sont là, puis j'attends qu'il instruise aux jurés d'entrer, légèrement impatient de voir Kennedy en action.

Toutefois, ce n'est pas ce qui se passe, parce que cette vipère se lève pour interpeller le juge.

– Votre Honneur, nous souhaitons soumettre une motion pour disqualifier le spécialiste en informatique de la défense et l'empêcher de témoigner.

Un expert de l'informatique judiciaire est un technicien qui examine les données laissées après un cybercrime. Mon expert est le meilleur du pays et il va dire que les preuves censées prouver que le piratage de la banque a été commis par Justin sont bancales. Il dira que, certes, l'ordinateur de Justin a *pu* être utilisé, mais qu'il y a une infime chance que ce ne soit pas le cas. Il suffit justement d'une chance infime pour qu'il y ait un doute raisonnable quant à la culpabilité de mon client.

Si c'était un jeu d'échecs, mon expert en informatique serait ma tour – ce n'est pas la pièce la plus puissante de ma défense, mais elle est néanmoins essentielle à ma stratégie.

– Sur quels fondements ? je demande en me levant.

– Parce qu'il n'est pas autorisé à témoigner, ni à travailler, répond-elle. Une audience pourra clarifier la situation.

Le juge autorise une audience sur cette motion, et deux heures plus tard, il disqualifie mon témoin parce qu'il travaille depuis Londres et qu'il n'a pas pris la peine de renouveler son visa de travail, qui est désormais périmé.

Apparemment, Kennedy est prête à se battre aussi. Et elle a de sacrées tactiques.

◆◆◆

Après l'audience, et une fois que nous avons présenté nos déclarations préliminaires au jury, Kennedy ouvre le procès avec son propre expert en informatique judiciaire. Ses questions sont rapides, ciblées, et pleines de confiance. Les réponses du technicien sont détaillées et ennuyeuses, comme c'est souvent le cas avec les techniciens, mais il ne commet pas de faute et il simplifie les choses pour que les jurés comprennent.

Ce n'est pas bon pour Justin.

Peu de temps après, le juge m'invite à interroger le témoin à mon tour, ce qui serait super, sauf que Kennedy me laisse à peine en placer une.

Je vous donne un exemple.

– Pouvez-vous expliquer…

– Objection !

Et un autre.

– Comment pouvez-vous être sûr…

– Objection !

Et encore un autre.

– Quand vous avez déterminé que…

– Objection !

La plupart de ses objections sont rejetées, mais le but n'est pas qu'elles soient retenues. C'est une stratégie. Elle veut casser mon rythme et m'empêcher de trouver une zone de confort où je pousserai le témoin à dire ce que je veux entendre pour ensuite le retourner contre lui.

Elle essaie de m'énerver, et ça marche. Si je pensais que ça allait être amusant, j'ai vraiment eu tort. Je m'imagine déjà prendre son joli petit cou entre mes mains pour l'étrangler, et il ne s'agit nullement d'un délire sadomasochiste.

Je finis par craquer, ce qui ne m'arrive jamais.

– Quelles sont les chances de…

– Objection ! crie Kennedy en se levant.

– Objection ! je rétorque en me tournant vers elle.

– Vous objectez à votre propre question ? me demande le juge en enlevant ses lunettes.

– Non… Votre Honneur, je bafouille. Je m'oppose à son objection.

– C'est nouveau, ça, répond-il en haussant un sourcil.

– Vais-je pouvoir interroger le témoin ? À ce rythme, lorsque ce procès sera terminé, mon client pourra prendre sa retraite.

– Si monsieur Mason formulait ses questions correctement, je ne serais pas obligée d'objecter, Votre Honneur, répond calmement Kennedy.

– Mes questions sont parfaitement bien formulées, je grogne.

Le juge nous reprend.

– C'est à *moi* que vous devez adresser vos arguments, messieurs dames. Maître Randolph, veuillez vous retenir d'objecter à tout-va.

– Certainement, Votre Honneur.

– Sur ce, la séance est ajournée. Le procès reprendra demain matin à neuf heures.

Une fois que le juge est sorti, je rassure Justin avec une tape dans le dos et un discours de motivation. Ensuite, je range mes documents dans mon attaché-case et je me tourne pour partir, en même temps que la Garce elle-même.

– *Certainement, Votre Honneur*, je dis d'une voix aiguë pour imiter la sienne. Lèche-cul, je chuchote.

– Je préfère être lèche-cul plutôt que débile. Je ne savais pas que tu avais eu ton diplôme dans une pochette surprise achetée par papa.

Je passe devant elle et je lui fais face pour pointer mon index dans son visage.

– Eh ! Je m'achète *mes propres* pochettes surprises, je te signale.

– Si tu le dis, répond-elle en haussant une épaule.

Je la laisse passer devant moi, parce que c'est ce que font les gentlemans et que ça me permet de mater son cul, et je me sens déjà un peu mieux.

Quelques mètres plus loin, Tom Caldwell appelle Kennedy et elle s'arrête pour lui parler. Tom est un procureur droit dans ses bottes contre qui notre cabinet s'est défendu plus d'une fois. C'est un bon gars, c'est juste qu'il est affreusement parfait. On m'a dit récemment qu'il s'était fiancé à une jolie institutrice qui s'appelle Sally.

Je m'accroupis furtivement pour refaire mon lacet et les écouter. Ne me jugez pas, je vous en supplie.

– On est plusieurs à aller au RedBarron pour l'happy hour, lui dit Caldwell. Tu devrais venir !

– Ça a l'air cool ! Merci Tom, je suis partante, répond-elle d'une voix joyeuse et amicale.

Ça fait des années qu'elle ne m'a pas parlé sur ce ton. Je les regarde sortir ensemble alors que la jalousie s'empare de moi. *Cet enfoiré de Caldwell.* Je sors mon téléphone de ma poche et j'appelle Stanton.

– Mec, j'annonce lorsqu'il décroche. Prépare-toi, j'ai besoin d'un assistant de drague. Toi et moi à l'happy hour, comme au bon vieux temps, c'est-à-dire l'an dernier.

– Désolé, mec, répond-il d'une voix endormie. Je ne peux pas, on fait la sieste.

– La sieste ? je répète en regardant ma montre. Il est dix-sept heures !

– Au cas où tu ne l'aurais pas remarqué, Sofia est lourdement enceinte.

– Ouais, mais elle n'a pas quatre-vingts ans ! Et c'est *elle* qui est enceinte. C'est quoi ton excuse, à toi ?

– On est rentrés à la maison plus tôt. Comme elle n'accepte de se reposer que si je m'allonge avec elle, on finit par s'endormir tous les deux. Ensuite, je ne dors pas de la nuit et je rattrape le travail que je n'ai pas fait. Ce gamin me transforme en vampire.

– Tu devrais avoir honte, je réponds en secouant la tête. Tu me fais faux bond, mec !

– Où est Jake ?

– C'est la répétition générale du gala de danse de Regan. Il a passé la matinée à râler de devoir y aller. Il est déjà suffisamment puni comme ça.

– Désolé, Brent.

– Ouais, ouais, retourne finir ta sieste, papi. Et n'oublie pas d'enlever ton dentier.

– Va te faire foutre, répond-il en riant.

Je raccroche et je soupire. Il faut croire que je suis seul dans ma mission.

◆◆◆

Je ne vais pas tout de suite au RedBarron, sinon ce serait trop flagrant. Je traîne au tribunal pendant environ quarante-cinq minutes, puis je me rends au petit troquet à pied. C'est un lieu ancien où on ne peut boire que de la bière, du vin, et du whisky. Il y a une cible de fléchettes dans un coin, une petite télévision derrière le bar, et aucune déco. Des tables et des chaises qui ont vu des jours meilleurs sont alignées contre un mur recouvert d'un immense miroir. L'endroit est presque miteux, mais il est plein à craquer. Je me faufile parmi les clients et j'aperçois Tom Caldwell près du bar, entouré de gens en costume ou en tailleur.

Il se tourne lorsque je tapote son épaule et il a l'air surpris, avant de sourire.

– Salut, Mason.

Je serre sa main.

– Comment ça va, Caldwell ?

– Très bien, je bois un verre pour me détendre après une longue journée au tribunal.

– Ouais, moi aussi.

Je repère Kennedy derrière Tom. Elle m'étudie un instant, comme si elle s'apprêtait à me sauter à la gorge, puis elle hausse les épaules et secoue la tête. Peut-être est-elle prête à lâcher l'affaire et à arrêter d'être aussi froide avec moi, ne serait-ce que pour la soirée ?

Je traverse le petit groupe en saluant ceux qui me sont familiers et je la rejoins. Nous sommes si près l'un de l'autre qu'elle doit lever la tête pour me regarder dans les yeux.

– Tu sais que c'est illégal de suivre quelqu'un partout contre son gré ?

– Te suivre partout ? je rétorque. Tu n'aurais pas les chevilles qui enflent ? Je viens ici tout le temps.

– *Toi*, tu viens ici ? Dans *ce* bar ?

– Ouais. Ne sois pas parano.

Elle se dresse sur la pointe des pieds et son souffle chatouille mon oreille.

– Ce n'est pas de la paranoïa lorsque c'est vrai. Regarde autour de toi.

Je fais ce qu'elle dit et je comprends pourquoi elle ne me croit pas. La pièce est remplie de policiers – en uniforme ou en civil, leurs armes et leurs badges bien visibles. C'est un bar de flics. Les flics et les procureurs ont tendance à s'attrouper, parce qu'en général ils sont dans le même camp.

Vous devinez ceux qui *ne sont pas* dans leur camp ? Les avocats de la défense.

– Est-ce que tu souhaites reformuler ta déclaration ? demande Kennedy en haussant les sourcils.

– Non. C'est ma version et je m'y tiens.

Elle ricane.

– Salut, Brent. Ça fait des lustres que je ne t'ai pas vu!

C'est Michelle Lawson, une superbe procureur avec qui je suis sorti quelque temps il y a deux ou trois ans. Elle vient à mes côtés et m'embrasse sur la joue. C'est une nana sympa et on a passé de bons moments ensemble, si vous voyez ce que je veux dire, puis on a arrêté de se voir.

– Salut Michelle, comment tu vas?

– Très bien, très bien. Tu as l'air en forme, Brent.

– Merci, je réponds avec un clin d'œil. Toi aussi.

Les traits de Kennedy semblent soudain s'attrister devant notre échange. Voilà qui est intéressant.

– Qu'est-ce que tu bois? je lui demande lorsque Michelle est repartie.

Elle se lèche brièvement la lèvre inférieure.

– Du Pinot Grigio, répond-elle.

Elle pose sa main sur mon biceps et c'est presque possessif. Ensuite, elle se rapproche assez pour que je sente le vin dans son haleine.

– Tu m'en commandes un autre?

Je ne comprends pas ce qu'il se passe. Je ne sais pas comment on est passés des insultes au tribunal à s'offrir des verres. Elle flirte clairement avec moi, mais je refuse de me poser trop de questions. Je lui commande donc un autre verre.

◆◆◆

Nous passons l'heure qui suit à discuter, à nous chamailler et à rire, sans parler de choses sérieuses. Parfois nous nous joignons aux conversations des autres, mais nous parlons surtout tous les deux. Kennedy me toise des pieds à la tête, sans se cacher, avec un regard brûlant. Elle effleure mon bras, elle touche mon torse. Elle se rapproche pour chuchoter au creux de mon oreille.

Je bande toute la soirée, mais je ne vais pas me plaindre.

Si seulement je savais à quoi elle joue. D'où vient ce brusque changement d'attitude ? J'ai l'intention de lui poser la question dès que nous serons seuls, mais elle me coupe dans mon élan.

– Ça te dit qu'on parte d'ici ? demande-t-elle en caressant mon torse.

Elle me rend dingue.

– Tu m'as ôté les mots de la bouche.

Elle sourit discrètement d'un air lourd de sous-entendus.

– Dans ce cas, il va falloir que tu remplisses la mienne pour que l'échange soit équitable.

Doux Jésus, est-ce qu'elle vient vraiment de dire ça ? Bon sang, si c'est un rêve, mettez-moi dans le coma, je vous en supplie.

– Ça me va, je réponds alors que mon cœur bat la chamade.

– Je fais un saut aux toilettes avant.

Elle tourne les talons et je vide ma bière, en regrettant que ce ne soit pas un alcool plus fort. Cela dit, je dois vraiment faire attention. J'ai beaucoup de questions – il y a tant de choses que j'aimerais savoir –, et encore plus de positions dans lesquelles j'aimerais la prendre.

Un bruit de verre brisé retentit et je tourne la tête vers le fond du bar, où deux énormes mecs bourrés se bousculent, prêts à se battre. Un couloir étroit mène aux toilettes, et Kennedy n'a pas beaucoup de place pour passer devant les deux brutes.

Je sais ce qu'il va se passer, et il est hors de question que je le permette.

Quelques secondes plus tard, je saisis la taille de Kennedy et je la place derrière moi pour la protéger. Ensuite, je pousse la brute qui lui serait rentré dedans si je n'avais pas été là.

– Si tu veux casser la gueule à quelqu'un, fais-le dehors, j'aboie.

Ce débile oublie qu'il avait prévu de se défouler sur l'autre et il se tourne vers moi.

– T'es qui, toi ?

– Tu as failli bousculer ma nana. Si c'était le cas, je grogne en approchant mon visage du sien, tu aurais trop mal pour poser cette question stupide. Donc, moi, je suis le mec qui te dit d'arrêter de te comporter comme un abruti. Si ça te pose problème, je peux t'accompagner dehors.

Il me dévisage en silence, sans doute se demande-t-il si je suis sérieux. Je mesure quelques centimètres de plus que lui, ma mâchoire est contractée et mon regard est meurtrier. Je suis *hyper* sérieux. Il finit par le sentir et il fait un pas en arrière.

– Je n'ai pas de problème avec toi, dit-il en haussant les épaules.

– Tant mieux.

Une fois qu'il s'est éloigné, je me tourne vers Kennedy. Je passe ma main dans sa nuque et j'étudie son visage qui est soudain devenu très pâle.

– Eh, ça va ? Qu'est-ce qui se passe ?

Elle cligne des yeux et fuit mon regard en secouant la tête.

– Rien. Tout va bien. Je suis juste… je vais plutôt rentrer chez moi en taxi. Seule.

– Quoi ? Pourquoi ?

– Parce que je ne peux pas…

Elle s'arrête et se crispe.

– Parce que j'ai changé d'avis, reprend-elle.

Elle échappe à mon bras et se faufile parmi les clients pour se diriger vers la porte.

Elle est beaucoup plus petite que moi, donc elle avance plus vite. Le temps que je la rattrape dehors, un taxi s'arrête déjà devant elle. Elle ouvre la porte, mais je la referme.

– Où vas-tu ?

– Je rentre chez moi, Brent.

Elle essaie de rouvrir la porte mais je la referme encore une fois.

– Pas tant que tu ne m'auras pas expliqué ce qui t'a fait paniquer.

Elle n'a l'air ni surprise, ni effrayée, ni confuse, désormais. Elle a simplement l'air en colère. Contre moi.

– Ne me dis pas quoi faire ! Surtout pas toi ! crie-t-elle.

– Tout va bien ? demande Tom Caldwell qui vient de sortir.

Il a l'air aimable et sincèrement inquiet.

– Euh, on a appelé un taxi, poursuit-il. Il sera là dans une minute. Tu veux monter avec nous, Kennedy ?

Elle coiffe ses cheveux en arrière et semble se calmer.

– Oui, merci Tom. Je vais rentrer avec vous.

Elle pose ensuite sur moi un regard glacial.

– On se voit au tribunal demain, Brent.

Je frappe le toit du taxi avec la paume de ma main, fort, parce que ce n'est pas une bataille que je gagnerai ce soir.

– Oui. À demain, Kennedy.

◆◆◆

Plus tard dans la nuit, vers deux heures du matin, je suis réveillé par une décharge électrique remontant depuis mon moignon jusque dans ma cuisse. Je suis en nage, gelé, tout mon corps est figé, et mes muscles sont contractés par la douleur agonisante. Cela m'arrive, de temps en temps.

Au début, c'était ce qu'on appelle la douleur du membre fantôme, c'est-à-dire une souffrance dans un membre qui n'existe plus. À l'époque, je voulais par exemple me gratter le pied et le remuer pour me mettre à l'aise, mais forcément ce n'était pas possible.

Ces jours-ci, c'est différent. La douleur est dans les nerfs.

C'est la raison pour laquelle le genou de votre oncle le fait souffrir quand il pleut, même plusieurs années après qu'il a été opéré pour son accident de foot. Certains nerfs ne savent pas se mettre au repos, ils veulent être utiles et ils sont furax de ne rien pouvoir faire.

Ma cuisse se contracte quand une nouvelle décharge arrive, et celle-ci est vive et brûlante. Je grogne et j'appelle Harrison pour qu'il m'apporte mon fauteuil roulant. Il m'est impossible de remettre ma prothèse, et jamais je n'arriverai à me rendormir.

Je suis allé voir de nombreux spécialistes et j'ai obtenu de nombreuses explications, la météo, le stress, mais aucune réponse certaine. L'un d'entre eux voulait me réopérer, mais il ne pouvait pas garantir que ça réglerait le problème de façon permanente, donc j'ai refusé. Au lieu de cela, j'essaie les massages thérapeutiques ou l'acupuncture, sinon je serre les dents et j'attends que ça passe.

◆◆◆

Le matin, ma masseuse vient à la maison. C'est une vieille Chinoise qui jure comme un charretier mais qui a des mains expertes. Lorsqu'elle part, la douleur est légèrement moins vive – légèrement. Je passe la journée dans mon fauteuil roulant, en tee-shirt et en jogging.

Plus tard dans l'après-midi, j'ai droit à une visite surprise. Quelqu'un frappe fort à la porte et Harrison part ouvrir. Il revient dans le salon suivi de Kennedy, qui est aussi belle qu'hier dans une jupe blanche, une veste de tailleur noire et des talons aiguilles noirs. Ses cheveux sont lâches, épais, et ondulés.

Elle a l'air furax.

– Mademoiselle Kennedy Randolph, annonce Harrison.

– Tu as un majordome ?

Je hausse les épaules.

– Ma mère s'inquiète. Qu'ai-je fait pour mériter cet honneur ?

Kennedy pointe son doigt sur moi.

– Si tu penses t'échapper en refourguant cette affaire à ta partenaire comme une poule mouillée, tu te fourres le doigt dans l'œil !

– Je ne sais pas de quoi tu parles.

– Je parle du fait que tu n'étais pas au tribunal aujourd'hui. Et que tu as envoyé ton associée – un vrai piranha – à ta place !

Je ricane alors qu'une nouvelle décharge parcourt ma jambe.

– Un piranha, Sofia va aimer ça. Je lui passerai le compliment.

– Je t'interdis de changer de sujet, Brent. Je déposerai une réclamation au tribunal, s'il le faut. Je contacterai le Barreau, je…

Sa tirade a beau être divertissante, je lui coupe néanmoins la parole.

– L'affaire est la mienne, Kennedy. Le client est à moi. Je n'étais pas assez en forme pour venir au tribunal aujourd'hui et Sofia était libre, c'est tout. Mais je suis ravi de t'avoir manqué, j'ajoute avec un clin d'œil.

Elle ferme brusquement la bouche et elle fronce les sourcils.

– Tu n'as pas l'air malade.

– Je ne suis *pas* malade.

Elle regarde les roues de ma chaise, puis mon visage, et je sais qu'elle remarque les cernes sous mes yeux, ma mâchoire crispée, les perles de sueur sur mon front.

– C'est ta jambe ? demande-t-elle d'une voix douce.

Je me force à esquisser un sourire, mais je sais qu'il est plein de souffrance.

– Je suis un des rares chanceux à avoir encore mal des années après l'amputation. Je ne peux pas mettre ma prothèse et je n'aime pas aller au tribunal en fauteuil roulant. Ça distrait les jurés.

Elle réfléchit à ce que je viens de dire et, lorsqu'elle reprend la parole, sa voix est encore plus douce.

– Un an et demi après ton accident, mes parents et moi sommes venus dîner chez toi. Je me suis faufilée en haut parce que je voulais te voir, j'avais besoin de savoir si tu allais bien. J'avais parcouru la moitié du couloir jusqu'à ta chambre quand je t'ai entendu pleurer. Henderson était avec toi, mais ça avait l'air… affreux.

Je baisse la tête.

– C'était pire, à l'époque. J'étais jeune, je ne savais pas comment gérer la douleur, maintenant, si.

Je prends mon temps avant de la regarder dans les yeux. Il y a une différence entre la pitié et la compassion, et ça fait vingt-deux ans que je m'entraîne à faire la distinction. La pitié, c'est d'être triste pour quelqu'un tout en étant soulagé de ne pas être à sa place. La compassion, c'est de partager sa souffrance, de souffrir avec quelqu'un et de faire sienne sa douleur.

J'accepte volontiers la curiosité des gens ou leur gêne à l'égard de ma jambe, ça fait partie du deal. En revanche, je ne supporte pas la pitié. Et je ne la supporterais surtout pas venant d'elle.

Je regarde enfin son visage et je suis soulagé de voir que ses yeux sont pleins de souffrance : la mienne et la sienne.

– Est-ce qu'il y a quoi que ce soit que je puisse faire ?

– Maintenant que tu le dis, ça va toujours beaucoup mieux après une pipe. Je suppose que ça ne t'intéresse pas ?

Elle éclate de rire, un rire grave et doux, et ma douleur devient un peu plus simple à ignorer.

– Désolée, je ne suis pas intéressée, non.

– Flûte, je réponds en claquant des doigts. Et que dirais-tu d'un verre ? Ça craint de boire tout seul. Et Harrison refuse de se joindre à moi, je dis en désignant mon majordome.

Je roule mon fauteuil vers le canapé et je lui fais signe de s'asseoir.

– Assieds-toi, je t'en prie. Harrison, apporte-nous la bonne bouteille de brandy, s'il te plaît, sur l'étagère du haut, tout à gauche.

– Vos médicaments…, prévient-il.

– Un petit verre ne me fera pas de mal.

Kennedy s'assoit sur le canapé en cuir marron, suffisamment près de moi pour que nos genoux se touchent presque. Harrison nous tend un verre à chacun, puis il sort de la pièce sans un bruit.

Je la regarde et je me demande par où commencer. J'ai tellement de questions… et la plupart sont risquées.

– Où es-tu partie après le pensionnat ? Je suis allé chez toi, cet été-là, mais…

– Je ne veux pas parler de ça, Brent, dit-elle d'une voix ferme en regardant droit devant elle.

– D'accord. Alors… qu'est-ce qu'il s'est passé pour que tu deviennes comme ça ? Tes cheveux, tes vêtements, tes lentilles... Ta mère et ta sœur, Claire, ont passé des années à essayer de faire de toi leur poupée Barbie. Pourquoi tu les y as finalement autorisées ?

Elle sourit légèrement.

– Je ne les y ai pas autorisées, répond-elle alors que ses épaules se détendent un peu. Au bout d'un moment, je me suis lassée de toujours être la rebelle de la famille. Je trouvais moins marrant de regarder ma mère sombrer dans l'hystérie à chacune de mes nouvelles tenues vestimentaires. L'été qui a suivi ma première année en fac de droit, j'ai fait un stage à la cour d'appel...

– Tu es allée à quelle fac de droit ? j'interromps.

– Yale.

Elle boit une gorgée de brandy avant de poursuivre.

– Donc... je travaillais avec Bradshaw, qui était non seulement une juge phénoménale mais une femme magnifique. Au bout d'un mois de stage, elle m'a convoquée dans son bureau et elle m'a dit qu'elle était très impressionnée par mon travail, mais que si je ne faisais pas quelque chose pour changer mon apparence, mon stage avec elle n'allait pas durer très longtemps.

– Elle t'a dit ça ? je demande en m'étouffant à moitié. Merde, ça aurait fait un super cas de harcèlement sexuel.

Elle hoche la tête.

– Je lui ai dit que je voulais être jugée sur mon travail et pas sur mon physique. Elle m'a répondu « c'est bien mignon, ma chérie, mais tu es dans la vie réelle, maintenant ».

Sa voix se détend et son masque de glace fond peu à peu, révélant un visage qui s'adoucit et s'ouvre à moi. Je n'arrive pas à la quitter des yeux, parce que je revois enfin la fille avec qui j'ai grandi. Celle que je connaissais par cœur.

– Elle m'a dit, qu'on soit banquier ou acteur porno, nous sommes tous jugés sur notre apparence, que si j'ai *l'air* négligée, les gens penseront que tout ce que je fais est bâclé. En revanche, si j'ai l'air impeccable, ils m'offriront une chance en pensant que mon travail, lui aussi, peut être parfait. J'ai donc commencé à faire des efforts pour avoir l'air plus classe. Au bout de quelques semaines, j'étais colorée, épilée, et habillée sur mesure. C'était un peu mon moment *Le Diable s'habille en Prada*.

Je hoche la tête, même si je ne sais pas de quoi elle parle, et elle le devine.

– Tu ne sais pas ce que ça veut dire, n'est-ce pas ?

– Je n'en ai aucune idée.

Elle sourit.

– Ça veut dire que cette juge était mon mentor de mode. C'est l'été où je suis devenue belle.

Je regarde attentivement la courbe légère de sa pommette, sa peau lisse, ses longs cils épais et sa bouche pulpeuse.

– Non, pas du tout.

Elle plonge son regard dans le mien pendant un long moment, puis elle détourne les yeux. Elle avale une gorgée de brandy et tousse un peu.

– Il est un peu râpeux, hein ?

– Oui. Au risque de te vexer, si *ça* c'est ta bonne bouteille, j'ai peur de découvrir l'alcool bon marché.

– Ce n'est pas pour son goût que j'aime ce brandy, je réponds en souriant.

Je lui fais signe d'approcher et je sens un parfum de pêche sur sa peau. Cependant, je me concentre et je lève mon verre en faisant tourner le liquide.

– Tu vois ce marron clair, la façon dont il a l'air doux, comme du velours écrasé ?

Kennedy regarde le verre et hoche la tête.

– Mais il y a aussi un marron plus foncé qui lui donne de la richesse, je poursuis.

– Ouais.

– Ensuite, il y a une surcouche dorée qui rend le liquide presque céleste. Comme s'il était illuminé de l'intérieur.

– Oui, répond-elle.

Je cesse de faire tourner le brandy dans mon verre et je chuchote.

– C'est exactement la couleur des yeux de Kennedy Randolph.

Elle retient brusquement son souffle.

– C'est ce que j'ai pensé la première fois que je l'ai bu, et c'est ce que je me dis chaque fois que j'en bois, depuis. Je ne t'ai jamais oubliée, ma puce. Loin de là.

Elle ne s'y attendait pas. Elle a l'air surprise et elle semble soudain toute petite et vulnérable. Puis son visage se referme et devient impassible, dur.

– Ça t'énerve que je dise ça, je reprends, en essayant de capturer de nouveau son regard. Pourquoi ça t'agace ?

– Tu sais très bien pourquoi, répond-elle en voulant se lever.

Je saisis son poignet.

Non, Kennedy. Je ne sais pas. Je n'ai jamais su

Elle retire brusquement sa main et pose son verre sur la table basse. Elle fait un pas en arrière, mettant de la distance entre nous.

– Je ne vais pas recommencer, Brent. Je refuse de replonger avec toi.

Ma mâchoire se contracte.

– Ok, tu veux commencer par m'expliquer ce que tu veux dire par là ?

– Et si tu allais plutôt te faire foutre avec ton manche de lacrosse ?

Waouh, nous voilà de retour à la case départ.

– Je trace la limite aux équipements sportifs, mais si tu veux qu'on s'amuse avec d'autres types de jouets, je suis partant.

Elle n'apprécie pas mon humour.

– Je m'en vais.

– Tu fuis.

Elle pince ses lèvres et me fusille du regard. Bon sang qu'elle est belle quand elle est agacée. J'ai hâte de voir comment elle est quand elle est furax. En fait, quelque chose me dit que je vais bientôt le découvrir.

Elle pose une main sur sa hanche et pointe l'autre sur moi.

– En fauteuil ou pas, ton cul a intérêt à être au tribunal demain, sinon, je vais faire de ta vie un enfer.

– Quoi, contrairement au plaisir que me procure ta présence maintenant ?

Elle jette ses bras en l'air et tourne les talons.

– À demain, mon ange, je lui réponds alors qu'elle m'a déjà tourné le dos.

Une minute plus tard, Harrison entre calmement dans le salon après l'avoir raccompagnée à la porte.

– Mon *ange* ? demande-t-il.

– Pourquoi pas, c'est bien un ange qui a apporté les dix plaies à l'Égypte.

– Ah, je vois, répond-il en hochant la tête. Mais quelque chose me dit que les grenouilles et les sauterelles étaient plus faciles à gérer.

Quelque chose me dit qu'il n'a pas tort.

6

Le lendemain, j'arrive au bureau aux aurores pour compenser de n'avoir rien pu faire hier. Je me perds dans les motions et les appels, et peu à peu l'immeuble prend vie autour de moi. La lumière aveuglante du soleil sur les murs blancs me dit qu'il est environ neuf heures trente, ce qui est très vite confirmé par les pas de miss Higgens dans le couloir, ainsi que par une entêtante odeur de café. Quant au bruit sourd qui fait trembler mon bureau, c'est inhabituel.

Qu'est-ce que c'est, ce bordel ?

Je me dirige vers la porte lorsque le bruit résonne de nouveau, accompagné cette fois-ci d'un cri étouffé – choqué, souffrant, et clairement masculin.

Mais que se passe-t-il ?

Je déboule dans le couloir et je réalise que le bruit vient du bureau de Sofia. Jake et Stanton me suivent de près, affichant le même visage inquiet. Lorsque le bruit se réitère une troisième fois, le regard de Stanton devient assassin.

Il prend les devants et nous débarquons tous trois dans le bureau de sa femme.

Sofia est une véritable bombe brésilienne, mais avec ses nouvelles courbes, dues au bébé de sept mois qui est dans son ventre, elle est encore plus canon. C'est ce même bébé qui rend le fait qu'elle tient un type par une clé de bras sur son bureau encore plus perturbant. Et... plutôt génial.

– Aaaarrrghh, tu vas me casser le bras ! gémit-il.

– Est-ce que ça va ? demande Stanton.

– Nickel, répond-elle en souriant.

Elle fait un pas en arrière pour laisser Stanton prendre le relais, lequel épingle le mec au mur en l'empoignant par la gorge.

– Qu'est-ce que tu as fait ? grogne Stanton.

Le mec écarquille les yeux.

– Moi ? Elle a failli me casser le bras !

Stanton le décolle légèrement du mur pour l'y plaquer de nouveau.

– Qu'est-ce que tu as fait pour qu'elle manque de te casser le bras ?

– Je lui ai dit qu'il allait devoir faire de la prison, explique Sofia en recoiffant ses cheveux et en s'éventant le cou. Je lui ai dit que je ne lui décrocherais pas d'accord à l'amiable qui n'impliquerait pas deux à quatre ans de prison ferme. Ça ne lui a pas plu et il a essayé de m'en coller une.

– Tu as essayé de frapper ma *femme* ? crie Stanton en resserrant sa poigne sur la gorge du mec. Ma femme *enceinte* ?

– Je vais bien, Stanton, vraiment. Je veux juste qu'il sorte d'ici, intervient Sofia en fusillant son client du regard. Je lâche votre affaire et je garde votre avance sur honoraires. Quel que soit l'avocat qui acceptera de vous prendre, il ne sera pas assez bon pour vous obtenir *même* deux à quatre ans de prison ferme, mais éclatez-vous, espèce d'enfoiré. Maintenant, sortez d'ici.

– Laisse-moi t'aider, dit Jake d'une voix grave et menaçante.

Il prend le type des mains de Stanton – littéralement – et il le traîne dans le couloir.

Stanton promène ses mains sur le ventre de Sofia, ses bras, ses épaules.

– Tu es sûre que ça va ?

– Oui, bien sûr, il ne m'a même pas touchée.

Stanton hoche la tête et l'attire dans ses bras. Seulement, le temps que Jake revienne, il est de nouveau en colère.

– Bon ça suffit maintenant, Sof, c'est fini.

– Non, ne recommence pas avec ça, rétorque Sofia.

Vous devriez vous trouver du pop-corn, parce que si un bon avocat peut se disputer avec lui-même, *deux* avocats face à face sont comme deux rottweillers dans une cage.

– Je ne recommence pas, je *termine* avec ça, Sofia. Ton congé maternité commence *maintenant*, répond Stanton.

Il croise les bras, ce qui n'est jamais bon signe.

– Non, Stanton. Tu peux faire une croix sur ton fantasme de bobonne enceinte et pieds nus dans la cuisine !

– Tu peux tout à fait mettre des chaussures, tu sais combien j'aime les talons aiguilles, plaisante-t-il avant de péter un plomb. Tu es ma femme et c'est mon fils ! Il est hors de question que je laisse quoi que ce soit vous arriver. Donc : fini les connards violents et les dealers de drogue. Mais si tu veux, du moment que tu es assise derrière ton bureau, tu peux t'occuper d'évasion fiscale ou de blanchiment d'argent. Ils sont toujours gentils, ceux-là.

– Ce n'est pas à toi de prendre cette décision !

– Pourtant c'est ce que je viens de faire !

– Je déteste que Maman et Papa se disputent, je murmure à Jake, qui me répond par un sourire.

– Heureusement que c'est un partenariat équitable et qu'on prend ce genre de décision *ensemble* ! répond-elle à son mari en souriant d'un air satisfait.

Stanton hoche la tête, sûr de lui.

– Tu n'as pas tort. On devrait voter, puisqu'il s'agit d'une décision d'entreprise.

Le sourire de Sofia s'efface.

– Jake ? demande Stanton sans quitter sa femme des yeux.

Jake reste silencieux quelques secondes avant de répondre.

– Je suis d'accord avec Stanton.

Les traits de Sofia se crispent, mais il ne lui laisse pas le temps de répondre.

– Tu sais, les femmes soldat, pompier et policier ont des tâches limitées lorsqu'elles sont enceintes.

– Mais je ne fais aucun de ces métiers ! Je ne porte pas des gens dans des bâtiments en feu et je n'essuie pas des tirs de mortiers, bon sang !

– Je ne vois quand même pas l'intérêt de risquer de te prendre une beigne par un abruti, rétorque Jake d'une voix ferme. Et ça n'a rien à voir avec le fait que tu es une nana. Si Stanton était l'incubateur, je lui dirais exactement la même chose. Mais heureusement, ce n'est pas le cas.

– Brent ? Tu votes quoi ? demande Stanton d'une voix déjà victorieuse.

Les yeux de Sofia m'implorent de me ranger de son côté.

– Tu es une de mes meilleures amies, Sofia. C'est pour ça que je peux te dire quand tu te comportes comme une imbécile.

– Mais…

Je lève la main pour la faire taire.

– Tu n'aurais des affaires restreintes que pour quelques semaines, ce n'est pas la fin du monde. Nous serions tous soulagés de ne pas avoir à nous inquiéter.

Je fais alors appel à Charlie dans mon for intérieur.

– Tu n'as rien à démontrer, Sofia, même si tu penses devoir te prouver quelque chose à toi-même. Mais ça ne vaut pas la peine de mettre ta santé en péril, ou celle du petit Becker Mason Santos Shaw.

– Merci, répond Stanton en riant.

– Pas si vite, je rétorque. Je n'ai pas fini. Même si je comprends ce que tu dis, Stanton, Sofia est majeure. Je ne vais pas lui ôter cette décision. Donc, moi, je vote pour faire ce que veut Sofia.

– Tu te fous de moi ? aboie Stanton.

– Pas du tout.

Sofia croise les bras d'un air victorieux.

– Merci, Brent.

Stanton se tourne vers moi et je sens venir la leçon de morale. Même si nous avons tous le même âge, mes trois amis m'ont toujours regardé comme si j'étais leur petit frère, ou quelque chose comme ça. Comme si j'avais encore beaucoup à apprendre. Je ne sais vraiment pas d'où ça vient. Je ne peux pas être le seul adulte à avoir une étagère de mon bureau dédiée aux bandes dessinées, si ?

Stanton prend son air de père de famille responsable et me regarde droit dans les yeux.

– Un de ces quatre, tu vas rencontrer quelqu'un à qui tu tiendras plus qu'à toi-même. Et ce jour-là, tu sauras ce que je ressens, et tu comprendras pourquoi tu as mal voté.

– Je tâcherai de m'en souvenir, mais je maintiens mon vote, je dis en regardant ma montre. Et maintenant je dois aller me prendre une raclée au tribunal.

Je me dirige vers la porte alors que j'entends Stanton menacer Sofia d'appeler sa mère.

Sofia est coriace, mais elle a parfois tendance à en faire un peu trop.

– Si tu traînes ma mère dans cette histoire, je ne te le pardonnerai jamais !

– C'est long, une éternité. Je suis prêt à prendre le risque, rétorque son mari.

◆◆◆

Quelques heures plus tard, Kennedy appelle une des victimes de Justin Longhorn à la barre. Elle a conclu l'aspect technique de l'affaire hier, et même si Sofia a mené une belle contre-attaque, de sérieux dégâts ont été subis.

Toutefois, ce n'est rien à côté des dégâts qu'elle est en train de nous infliger maintenant.

Kennedy, qui est aussi délicieuse qu'un cupcake à la vanille dans son tailleur crème moulant, est en train d'interroger Eloïse Potter, une adorable et minuscule petite mamie aux cheveux gris et à la voix douce. Elle ressemble à ma mamie, d'ailleurs, elle ressemble à la mamie de tout le monde.

Lorsqu'elle a fini de raconter comment elle a passé sa vie à compter le moindre centime pour subvenir à sa retraite et à celle de monsieur Potter – lorsqu'elle a raconté en sanglotant le traumatisme et la peur qui l'ont saisie quand elle a vu toutes ses économies se volatiliser, les jurés regardent mon client comme s'il était jugé pour avoir assassiné ses parents.

Les choses ne se présentent pas bien pour moi.

– C'est tout pour le moment, Votre Honneur, conclut Kennedy.

Elle me sourit d'un air diabolique et satisfait en retournant s'asseoir. Elle passe à côté de moi et je sens son délicieux parfum de pêche.

Et je bande. Génial. Maintenant je dois interroger la Mère Noël avec une semi-érection. J'inspire profondément et je me lève en boutonnant ma veste.

– Bonjour, madame Potter. Je suis Brent Mason, je dis en souriant chaleureusement.

– Bonjour, jeune homme, répond-elle en souriant à son tour.

– Madame Potter, les détectives de l'affaire vous ont-ils dit que les fonds avaient été récupérés ?

– Oui, ils nous l'ont dit, Dieu merci. Harold et moi étions très soulagés.

– Je n'en doute pas. Est-ce qu'ils vous ont aussi expliqué que votre argent vous serait rendu ?

– Oui.

Je désigne Justin, qui est assis timidement, attentif, vêtu de son pantalon beige et de son pull à col en V bleu marine, mains jointes sur la table.

– Que ressentez-vous à propos de mon client, madame Potter ? Sachant qu'il n'a que dix-sept ans. Est-ce que vous pensez qu'il doit aller en prison pour le reste de sa vie à cause d'une supposée erreur adolescente ?

Kennedy se lève brusquement, comme je m'y attendais.

– Objection ! Les sentiments du témoin envers l'accusé n'ont rien à voir avec les éléments de l'affaire.

Mais cette fois, je suis prêt.

– C'est maître Randolph qui a ouvert la porte aux sentiments du témoin quand *elle* lui a demandé ce qu'elle avait ressenti en découvrant que l'argent manquait sur son compte, Votre Honneur.

Le juge Phillips réfléchit quelques secondes, puis il se range de mon côté.

– Votre objection est rejetée, maître Randolph.

Je frissonne de satisfaction et un «*Ha!*» m'échappe dans un murmure.

C'est le moment où les choses dérapent sérieusement.

– Est-ce que maître Mason vient de dire «Ha!»? siffle Kennedy.

Je me tourne pour lui faire face.

– Absolument pas, ce ne serait pas professionnel.

– Moi j'ai entendu «Ha!».

– Dans ce cas, vous entendez des voix, ma chère.

Elle rive un regard foudroyant sur moi tout en s'adressant au juge.

– Je demande que la cour impose des mesures disciplinaires à maître Mason pour avoir fait référence à la partie adverse en des termes dérogatoires…

– Le terme *ma chère* n'a rien de dérogatoire. Au contraire, c'est une marque d'affection.

– C'est rabaissant!

– C'est admiratif!

– Or ce n'est ni apprécié ni autorisé, rétorque Kennedy. Comme l'a montré l'affaire Billings contre Hobbs.

– Vous auriez raison, si ce n'était pour l'affaire Probst contre Clayton.

Nous nous fusillons du regard et elle fait un pas vers moi.

– L'affaire Probst contre Clayton a été annulée.

J'avance vers elle alors que mon cœur bat la chamade et je ne m'arrête que lorsque mon nez est à deux centimètres du sien.

– Dans ce cas, Dwyer contre Bocci.

Ses yeux sont rivés à ma bouche.

– J'accepte votre Dwyer contre Bocci, et je réponds par un Evans contre Chase.

Merde, je meurs d'envie de l'embrasser. Elle est juste devant moi, ce serait tellement facile. Ce serait tellement *bon*. Le juge Phillips se racle la gorge et nous nous séparons. La salle d'audience est plongée dans le silence et tous les regards sont fixés sur nous.

– Est-ce que vous préféreriez être seuls, tous les deux ? Je pourrais vous libérer ma salle d'audience.

Je baisse la tête et je sens Kennedy frissonner de honte.

– Non, Votre Honneur.

– Ce ne sera pas nécessaire, Monsieur le Juge.

– Ah, alors vous n'avez pas oublié que je suis le juge, c'est déjà ça. Moi, en revanche, j'aimerais m'entretenir seul avec vous. C'est vendredi, donc nous allons finir plus tôt. Nous reprendrons lundi matin à neuf heures. La séance est ajournée, annonce-t-il en frappant son marteau. Maître Randolph, Maître Mason, suivez-moi, s'il vous plaît.

Un brouhaha retentit aussitôt dans la salle et tout le monde se lève en même temps que le juge. Le public sort, et madame Potter descend du banc des témoins pour rejoindre un homme grisonnant qui doit être Harold Potter. Elle s'arrête devant moi et me parle avec un regard pétillant de malice.

– J'étais certaine que vous alliez l'embrasser ! J'ai lu beaucoup de livres, et c'était comme dans ces scènes dans lesquelles le héros se jette sur la jeune vierge.

– J'étais plutôt à deux doigts de l'étrangler.

La petite dame glousse sur un ton complice.

– Ah, alors c'est un tout autre genre de livre, fiston !

Je file dans le bureau du juge, suivi de près par Kennedy. L'huissier de justice referme la porte derrière nous alors que le juge Phillips suspend sa robe dans un petit placard, ajuste les manches de sa chemise et s'assoit derrière son grand bureau en acajou.

– Maître Mason, maître Randolph, nous avons un problème, dit-il en soupirant comme un parent fatigué de ses enfants.

– Puis-je parler librement, Votre Honneur ? interrompt tout de suite Kennedy.

– Ce n'est pas l'armée, maître Randolph. Dites ce que vous avez à dire.

– Ce type est un enfoiré, dit-elle en me désignant.

– *Je* suis un enfoiré ? Et toi ? Tu me casses les couilles depuis le premier jour !

Elle me regarde, bouche bée.

– Tes couilles ne m'intéressent absolument pas !

Et nous voilà repartis.

– J'ai comme l'impression que vous vous connaissez, dit le juge.

Kennedy et moi répondons à l'unisson.

– Pas vraiment.

– Tout à fait.

Je la regarde d'un air exaspéré, puis je m'adresse au juge.

– Nous avons grandi dans des maisons voisines.

Kennedy ricane et croise les bras.

– Dans des maisons qui étaient séparées par dix hectares de jardin, ce n'est pas comme si nous partagions une chambre.

– On s'est chopés quand on était ados, je poursuis, puis elle m'a brisé le cœur. C'était atroce.

Kennedy est de nouveau bouche bée, ce qui lui siérait plutôt bien, si ce n'était son regard meurtrier.

– *J'ai* brisé ton cœur ? Ha ! Quel mensonge !

– Tu es sortie avec William Penderghast avant même que ta salive n'ait séché sur mes lèvres !

Et avant que mon sperme n'ait séché sur mon ventre, mais je garde ce détail pour moi parce que je suis un gentleman.

– Parce que tu t'étais déjà remis avec ta pétasse de copine !

Le juge se racle de nouveau la gorge.

Oups.

– Ouais, donc vous vous connaissez, dit-il en reculant dans son fauteuil et en nous étudiant tour à tour.

Kennedy fait un pas vers son bureau et je ne vois plus son visage. Cependant, sa voix est plus douce, plus mesurée.

– Nous ne nous sommes pas vus depuis quinze ans, Monsieur le Juge. Donc, en vérité, on ne se connaît pas du tout. Plus maintenant, ajoute-t-elle en secouant la tête.

Peut-être est-ce la façon dont elle prononce ces paroles, sans colère ni tristesse, ou peut-être est-ce parce que ce qu'elle dit est vrai, mais mon estomac est soudain noué par le regret.

Le juge nous regarde encore quelques secondes, puis il pivote dans son fauteuil pour prendre un cadre sur l'étagère derrière lui et il nous le montre.

– J'ai cinq fils. Même après les trois premiers, Alice était déterminée à avoir une fille. Après qu'on a eu Timothy, elle a enfin accepté qu'elle devrait se contenter de belles-filles.

Dans la photo, le juge et sa femme, qui semble sacrément bien vieillir, sont debout devant un phare, entourés par cinq hommes bruns d'environ la vingtaine, tous vêtus de jeans foncés et de chemises bleu clair.

– Vous avez une très belle famille, Monsieur le Juge, je dis.

– Ils ont l'air d'être de bons garçons, ajoute Kennedy.

– Ils le sont, aujourd'hui. Quand ils étaient adolescents, c'étaient de véritables petits cons destructeurs qui avaient le sang chaud et qui passaient leur temps à se disputer.

Je souris, parce que c'est ce que dit Jake à propos de sa ribambelle de McQuaid.

– Quand deux d'entre eux y allaient vraiment fort, poursuit le juge, je les enfermais ensemble dans une chambre et je les laissais régler leur problème. Parfois, ils se battaient j'entendais des fracas, mais en général ils réglaient leurs histoires en parlant. Le plus important, c'est que je n'étais pas obligé de les écouter.

Il sort son portefeuille de sa veste et il jette quelques billets de vingt dollars sur son bureau. Il regarde la pile, hoche la tête à droite et à gauche, puis il rajoute quelques billets de vingt.

– Cette stratégie a si bien marché que je vais l'employer avec vous deux. Vous allez sortir, dîner ensemble, boire quelques verres et régler les problèmes que vous avez et qui transforment ma salle d'audience en cirque.

Le plan du juge m'obtient un tête à tête obligatoire avec Kennedy, j'adore.

Quant à elle, elle est loin d'être ravie.

– Votre Honneur, c'est très inhabituel…

– Absolument, madame Randolph, mais je l'ordonne quand même. J'ai été profondément agacé de vous regarder vous cracher à la figure dans mon tribunal.

– Monsieur le Juge, je vous assure que…

– Je ne veux pas de vos garanties, ma petite dame. Je veux un procès en bonne et due forme.

Il désigne l'argent sur son bureau.

– Et je vais l'obtenir grâce à *ça*, ajoute-t-il. Je vous interdis de revenir lundi si vous et monsieur Mason n'avez pas réglé vos petites histoires.

Elle tape du pied par terre.

– Nous n'avons pas d'histoires ! Vous ne pouvez pas…

– Bon sang mais c'est pas vrai ! je m'exclame.

Je prends l'argent et je saisis la main de Kennedy.

– Nous allons régler ça, ne vous en faites pas. Bon week-end, Monsieur le Juge.

Je sors de la pièce en traînant Kennedy derrière moi comme un chien qui ne veut pas monter en voiture. Dans le couloir, elle tire sur ma main, mais je ne la lâche pas.

– Arrête de me tirer !

– Alors marche, bordel ! j'aboie.

Lorsque je sens sa résistance s'amoindrir, je lâche sa main et elle marche à côté de moi.

– Il ne peut pas faire ça ! Il ne peut pas nous obliger à dîner ensemble ! Pour qui il se prend…

– C'est le juge, Kennedy. Il peut nous ordonner de faire tout ce qui lui passe par la tête. Et on l'a déjà assez agacé comme ça, ni toi ni moi n'avons intérêt à l'énerver davantage.

– Mais…

Je m'arrête et je lui fais face.

– C'est *un* repas. *Une* conversation. Ensuite, on pourra mettre tout ça derrière nous et tu pourras de nouveau faire comme si je n'existais pas. Ce n'est pas ce que tu veux ?

Je mens, bien sûr, parce que maintenant qu'elle est revenue, ici, où je peux la voir, la toucher, lui parler, me moquer d'elle, peut-être même la faire sourire… il est hors de question que je la laisse partir.

Elle étudie mon visage sans cligner des yeux pendant un moment, mais elle finit par soupirer.

– Très bien. *Un* repas, *une* conversation. C'est tout.

Je lui souris tendrement.

– Tu vois ? C'était si dur que ça ? Je vais même te laisser choisir le restaurant, Vipère.

– Ne m'appelle pas Vipère. On dirait le surnom d'une strip-teaseuse.

– Et alors ? Où est le mal ? Je connais des strip-teaseuses adorables. De toute façon, Vipère est un personnage trop cool dans *Captain America*. C'était ma méchante préférée, et elle était canon. La plupart des ados avaient *Playboy* pour inspirer leurs fantasmes. Moi, j'avais Marvel. Tu devrais le prendre comme le plus beau des compliments.

Elle ricane en secouant la tête, mais cela ressemble presque un rire. Et ça, c'est ce qu'on appelle du progrès.

◆◆◆

Nous sommes assis à une petite table ronde à l'arrière d'un pub vide qui est à quelques rues du tribunal. Les lumières sont tamisées et la musique est assez basse pour que l'on puisse parler normalement, tout en étant suffisamment forte pour meubler les silences.

– Deux bacon cheeseburgers à point, s'il vous plaît, je dis à la serveuse. Madame prendra des *onions rings* au lieu des frites et de la sauce barbecue au lieu du ketchup. Et on prendra deux demis de blonde, s'il vous plaît.

Je regarde Kennedy en rendant les menus à la serveuse.

– Mieux vaut garder l'alcool fort pour plus tard.

La serveuse s'éloigne et ma vipère me fusille du regard.

– Quoi ?

– Peut-être que je voulais le burger végétarien. Je pourrais être végétarienne, maintenant.

– Tu l'es ? je réponds en grimaçant.

– Non.

– Dans ce cas, arrête de chercher la bagarre.

Je recule dans ma chaise, jambes écartées, confortable, cherchant par où commencer, mais Kennedy règle la question en prenant les devants.

– Je n'arrive pas à croire que tu aies dit au juge que je t'avais brisé le cœur.

Elle ricane et secoue la tête comme si cette notion était absurde.

– C'est pourtant le cas. Ça fait quatorze ans, mais je me souviens encore de ce que j'ai ressenti ; j'étais anéanti quand tu es sortie avec William.

– Tu ne sais pas ce que c'est que d'être *anéanti*.

– Bien sûr que si. C'est quand tu me donnes le plus bel orgasme de ma jeune vie d'adolescent, que tu gémis mon nom en jouissant de manière spectaculaire autour de mes doigts, et que, dix heures plus tard, tu me troques contre ce foutu William Penderghast.

Ma réponse était amère ? Tant mieux.

Kennedy se penche en avant, coudes sur la table, et me fusille du regard.

– Tu t'étais déjà remis avec Cashmere quand j'ai accepté de sortir avec William !

Je cligne des yeux.

– Non, pas du tout.

– Si.

La serveuse nous apporte nos bières, et nous nous jetons tous deux dessus.

– Reprenons au début, tu veux ? je demande en reposant mon verre.

– Très bien, accepte-t-elle. On était en terminale et c'était le week-end réservé aux parents.

Vous êtes prêts pour un petit voyage dans le temps ? Replongeons-nous en 1999.

7

Pensionnat Saint Arthur, année de terminale

– Kitty !

– Mitzy !

Nos mères se serrent dans les bras, comme si elles ne s'étaient pas vues depuis des années. Une banderole clamant « Bienvenue aux Parents ! » est suspendue au-dessus de l'entrée du bâtiment principal, le soleil brille, et l'air est chaud malgré la gelée printanière de ce matin. *Eagle-Eye Cherry*[4] passe sur une radio lointaine, et des familles sont éparpillées ici et là sur la pelouse.

– J'ai l'impression que ça fait une éternité ! s'exclame Mitzy. Nous devrions tous déjeuner ensemble ! Il y a un super petit restaurant au bord du lac…

4. Chanteur suédois surtout connu pour sa chanson *Save Tonight*.

Ma mère accepte la proposition et je profite de mes lunettes de soleil aviateur pour mater Kennedy. Elle est particulièrement mignonne, aujourd'hui. Ses cheveux bruns sont attachés dans un chignon fouillis qui est plutôt sexy, elle porte un jean bleu moulant, une chemise à carreaux qu'elle a laissée ouverte, et son débardeur blanc est assez moulant pour révéler son ventre plat et sa poitrine fabuleuse. Cerise sur le gâteau, on lui a enlevé son appareil dentaire, le mois dernier.

Au moment où je la regarde, elle fait ce truc avec sa lèvre – elle mord celle du bas et la suce légèrement. C'est cette petite manie qui m'a donné ma première trique quand j'avais treize ans, et bon sang, ça me fait toujours le même effet.

Kennedy et moi avons toujours été... proches. Jusqu'à cette année, quand je suis passé capitaine de l'équipe de lacrosse et que c'est devenu sérieux avec Cazz. Quand je dis sérieux, je veux dire qu'on baise. Ces jours-ci, Kennedy traîne avec sa colocataire, Vicki Russo, et moi je traîne avec... d'autres gens.

Elle ajuste ses lunettes et me regarde en souriant.

– Salut.

– Salut.

Tel un fantôme blond et désapprobateur, Claire, sa sœur, apparaît à ses côtés.

– Ça t'aurait tuée de t'habiller un peu ? Sans rire, Kennedy, Maman et Papa ont fait toute cette route...

– Salut, Claire. Ravi de te revoir, je dis en plongeant mes mains dans mes poches.

– Brent, dit-elle avec un sourire crispé. Tu es toujours aussi...

Elle observe mon jean, mes baskets, et le col blanc de ma chemise sous mon pull bleu.

– … cliché, conclut-elle.

– Je t'en prie, Claire. Je sais que je suis un spécimen irrésistible de la gent masculine, mais ton obsession envers moi devient vraiment gênante.

Kennedy ricane et une incontrôlable envie de rire s'empare de moi. Je n'essaie pas de la réprimer, parce que l'air outré de Claire Randolph est tout simplement hilarant. Elle tourne les talons et suit ses parents sur le sentier pavé, nous laissant, Kennedy et moi, fermer la marche.

– Tu es défoncé ? chuchote Kennedy.

Je me rapproche d'elle.

– Absolument. C'est le seul moyen que j'ai trouvé pour supporter ce week-end.

Je connais des gens qui passent leur vie à fumer, mais je ne suis pas comme ça. Cependant, un petit rafraîchissement à base de plantes était vraiment nécessaire pour me préparer à cette longue journée stressante.

Elle secoue la tête, exaspérée, ce qui est parfaitement adorable.

– Je vois que ta sœur n'a toujours pas choisi de se faire opérer.

– Tu veux dire pour se faire enlever le balai des fesses ? Non, pas encore.

J'éclate de rire.

– Bon sang, Kennedy, j'ai l'impression que ça fait une éternité qu'on n'a pas traîné ensemble. Où tu étais passée ?

Je l'ai aperçue dans le lycée, ce n'est pas si grand, mais je ne l'ai pas vraiment *vue*. Je ne me souviens pas de la dernière fois que je lui ai vraiment parlé, et c'est une nana super cool.

Elle tourne la tête vers moi et me dévisage quelques secondes.

– J'ai toujours été là, dit-elle d'une voix si basse que je peine à l'entendre.

◆◆◆

– Tiens-toi droite, Kennedy. Il n'y a què les filles faibles qui courbent l'échine.

– Pourquoi tu ne mets pas des lentilles, Kennedy ? Tes yeux sont ton plus bel atout et tu insistes pour les cacher.

– Tu reprends du pain, Kennedy ? Attention, les glucides sont l'ennemi d'une danseuse.

C'est comme ça depuis qu'on s'est assis. Ça fait une heure que Mitzy Randolph critique tout de Kennedy, jusqu'à ses ongles, bon sang.

Je ne suis plus défoncé et j'ai l'impression que ma tête va exploser si je dois continuer d'écouter les commentaires désobligeants de madame Randolph.

– Kennedy aurait pu être danseuse étoile, si elle avait réussi à être plus grande, dit-elle à présent.

– Eh bien avec un peu de chance l'écartèlement reviendra à la mode et vous pourrez l'étirer un peu, je réponds sans réfléchir.

Les quatre parents s'immobilisent et me dévisagent. Je suis sur le point de leur dire d'aller se faire voir lorsque Kennedy se met à glousser à côté de moi. C'est un rire forcé, un signal pour les autres que quelqu'un vient de raconter une blague et qu'ils doivent rire pour ne pas être impolis. Du moment qu'il ne s'agit pas de sa fille cadette, Mitzy Randolph est la politesse incarnée, tout comme ma mère.

– Brent, chéri, enlève-moi ces lunettes. C'est impoli de les garder à table.

Je les enlève et j'essaie de cacher mes yeux en baissant la tête, mais le cri de ma mère me dit que mon plan est tombé à l'eau.

– Mon Dieu, pourquoi tes yeux sont si rouges ? Tu as une infection ?

Claire Randolph sourit enfin. Je parie qu'elle adorait arracher les ailes des mouches, quand elle était petite.

– Non, Maman, ils ne sont pas infectés.

– Mais ils font peur à voir ! s'exclame-t-elle. Donald, chéri, peut-être qu'on devrait appeler le docteur pour qu'il ausculte Brent ? demande-t-elle à mon père.

– Des allergies ! s'écrie Kennedy comme si elle venait d'y penser. Ses yeux sont rouges à cause des allergies !

– Brent n'a pas d'allergies.

Kennedy sourit à ma mère et elle a l'air si confiante que je la croirais presque.

– On a tous des allergies, ici. C'est à cause d'une certaine espèce d'arbres dans le Connecticut. Le pollen qu'ils… éjaculent.

Éjaculent ?

Elle éternue, pour clore son mensonge.

À l'évidence, Claire n'en croit pas un mot, mais les parents ne semblent y voir rien d'anormal. D'ailleurs, la conversation reprend bientôt son cours.

– Prends rendez-vous chez le coiffeur, Kennedy, tu veux ? Je vois tes fourches d'ici.

Je me lève si vite que les verres s'entrechoquent sur la table.

– On va se balader.

– Pourquoi ? répond ma mère en écarquillant les yeux.

Je suppose que je ne peux pas répondre que je suis sur le point de fourrer la nappe dans le gosier de sa meilleure amie…

– Je viens de voir… un gorgebleue à miroir au bord du lac ? Ils sont super rares. Kennedy et moi on les étudie en horticulture…

– L'horticulture c'est les plantes ! chuchote Kennedy.

– … et en ornithologie.

Ils gobent mon histoire.

Cinq minutes plus tard, Kennedy et moi marchons sur les berges du lac, dehors. Je prends un caillou et je le jette le plus fort possible dans le lac.

– Comment tu supportes ça ?

– Comment je supporte quoi ?

– *Tiens-toi droite Kennedy ; tes fourches, Kennedy ; les glucides, Kennedy*… J'avais envie de planter ma fourchette dans mon oreille juste pour ne plus avoir à l'écouter, et elle ne parlait même pas de moi !

Kennedy sourit tendrement.

– Elle ne cherche pas à être blessante en disant ces choses.

– Ah bon. Qu'est-ce qu'elle cherche, alors ?

Kennedy hausse une épaule et jette à son tour un caillou dans l'eau.

– Elle veut que je sois heureuse, et pour elle, le bonheur passe par le physique. Si elle ne tenait pas à moi, elle ne dirait rien. Elle m'ignorerait, et ce serait bien pire.

Nos regards se croisent et se soutiennent quelques secondes, et je réalise à quel point cette fille m'a manqué. Je sais que ce n'est pas très viril de le dire, mais c'est vrai. Les gens avec qui je passe mon temps, à qui je parle tous les jours, ils ne sont pas francs. Ils ne voient pas les choses comme elle.

Ils ne *me* voient pas comme elle. Même aujourd'hui, alors que ça fait une éternité qu'on n'a pas traîné ensemble, il n'y a pas de gêne entre nous, parce qu'elle me connaît par cœur. Elle connaît tout de moi, que ce soit bon ou mauvais.

Il n'y a qu'avec elle que je me sens ainsi, que j'ai cette tension dans ma poitrine, que mon cœur bat la chamade et que mon ventre se noue.

– Je suis surprise que tu ne déjeunes pas avec la famille de Cashmere, dit Kennedy.

Mon estomac se noue un peu plus, mais c'est pour une tout autre raison.

Cashmere est la nana la plus populaire de l'école et entre nous les choses ont tout de suite été… sauvages. Mais depuis un an qu'on sort ensemble… elle a changé. Elle est devenue à la fois collante et autoritaire, misérablement jalouse et peu sûre d'elle. C'est une autre des raisons pour lesquelles Kennedy et moi n'avons pas traîné ensemble, Cashmere ne l'aimait pas.

– On a rompu.

– Ah bon ? Quand ? Pourquoi ? demande-t-elle en haussant les sourcils.

À voir son regard plein de joie, je dirais qu'elle n'appréciait guère Cashmere, elle non plus.

– Oui. Hier. Je ne sais plus trop pourquoi.

– Tu ne sais pas ?

– Il y a eu beaucoup de cris ; j'ai eu du mal à distinguer des phrases. Mais j'ai pigé qu'elle me reprochait de trop l'étouffer *et* de ne pas lui accorder l'attention qu'elle mérite, j'explique en haussant les épaules.

Nous continuons à marcher au bord de l'eau.

– Waouh. Tu… tu n'as pas l'air trop triste.

– Je ne le suis pas.

Une brise légère se lève et elle repousse une mèche de sa joue.

– Tu crois que…

– Kennedy ! crie Mitzy Randolph depuis le haut de la colline.

Sa voix me rappelle celle de Tante Em lorsqu'elle appelle Dorothée pour lui dire que la tornade arrive.

Elle nous fait signe de revenir et nous nous exécutons.

– Nous avons eu une idée fabuleuse ! L'Hôtel Remington n'est qu'à quelques kilomètres d'ici et ils ont un bar divin et un casino très sélect. Donc nous allons tous y passer la nuit et nous vous ramènerons à l'école demain. N'est-ce pas génial ?

Je souris en regardant Mitzy et je prends Kennedy par les épaules. Ça veut dire que je vais avoir plus de temps seul avec Kennedy.

– C'est une super idée, madame Randolph.

◆◆◆

– Kennedy, tu dors ? je chuchote.

J'écoute à la porte de la suite des Randolph, mais je n'entends aucun mouvement de l'autre côté. Je suis super déçu, parce que nous avons passé la journée entière avec nos parents, à marcher et à parler, encore et encore. On a dîné tard dans ce restaurant « divin », puis nos parents nous ont envoyés nous coucher pendant qu'ils partaient jouer au casino.

Il est tout juste minuit, et j'ai une idée sublime. Or elle ne fonctionnera que si Kennedy est réveillée.

Je frappe encore une fois, un peu plus fort.

– Kennedy ?

La porte s'ouvre un peu et Kennedy lève la tête vers moi. Elle n'a pas ses lunettes et c'est la première fois que je remarque ses yeux. De longs cils noirs et épais entourent ses iris ambrés qui sont à la fois doux et... chauds. Ce sont des yeux dans lesquels un mec rêve de se perdre pendant qu'il est étendu sur elle... le genre qu'on veut voir ouverts lorsqu'on plonge sa langue dans sa bouche.

Quant au reste de son apparence... ça fait *longtemps* que je l'ai remarqué. Je crois que c'était le jour où elle a mis son premier soutien-gorge de sport et que j'ai découvert le délicieux péché qu'est la masturbation.

Quoi qu'il en soit, il faudrait que je sois aveugle pour ne pas remarquer son corps *maintenant.* Elle porte un minuscule débardeur en soie rose pâle et, s'il ne montre pas sa poitrine, je sais qu'il suffirait qu'elle se baisse d'à peine un centimètre pour que j'aie la plus belle vue du monde. Elle porte un minishort assorti qui révèle de superbes jambes musclées.

Tiens donc, je ne suis pas le seul à mater la personne devant moi.

Le regard de Kennedy se promène sur mon tee-shirt et sur mes bras musclés et bronzés comme ceux d'un surfeur. Ensuite, ses yeux descendent sur ma taille, imaginant sans doute les abdos que cache mon tee-shirt, puis ils continuent… plus bas. Je me demande si elle remarque à quel point je durcis en la regardant me mater.

La façon dont ses joues rosissent légèrement me dit qu'elle l'a sans doute noté.

Elle pose enfin son regard sur mon visage et elle se lèche les lèvres.

– Salut, Brent. Quoi de neuf ?

Je lui montre les clés de la Ferrari 250 GT California de mon père. C'est une édition limitée de 1961 et elle est sa fierté. Et elle est garée dans le parking.

J'ai découvert aujourd'hui que Kennedy n'a pas son permis de conduire parce que, avec tous les chauffeurs de sa famille, sa mère n'a pas vu l'intérêt de le lui faire passer.

Je compte donc y remédier.

– Tu es prête pour ta première leçon de conduite ?

◆◆◆

– … et tu relâches ton pied en même temps.

Nous sommes dans le parking vide d'un supermarché à quelques kilomètres de l'hôtel. Kennedy écoute attentivement mes instructions, sourcils froncés, ajustant ses lunettes. Elle a l'air excitée, déterminée, et parfaitement adorable.

– Pigé ?

– Pigé, répond-elle.

Et elle est partie.

Le moteur fait un bruit de broyeur lorsqu'elle passe une vitesse et, dans ma tête, je remercie l'embrayage pour son sacrifice. Nous avançons par à-coups, centimètre par centimètre.

– Maintenant, accélère. Mets la pâtée !

Nous avançons pour de bon et le sourire de Kennedy est si grand et resplendissant que j'ai l'impression de voir une gamine à qui on annonce que, cette année, Noël et Pâques tombent le même jour.

La voiture sursaute légèrement lorsqu'elle passe la seconde, mais tout redevient calme une fois qu'elle a enlevé son pied de l'embrayage. Une main sur le volant, elle saisit mon bras avec l'autre.

– Je conduis, Brent !

Je la regarde en souriant.

– Ouais, tu conduis.

◆◆◆

– Il te faut un surnom. Kennedy est trop long à dire.

Nous sommes garés sur une aire de pique-nique, en haut de la colline qui surplombe la ville. Tout est calme est silencieux. La capote de la voiture est ouverte et le ciel ressemble à une canopée noire au-dessus de nos têtes, parsemée de minuscules étoiles.

Nous n'avons pas eu d'accident et le moteur fonctionne encore, donc, à mes yeux, la leçon de conduite de Kennedy est un succès foudroyant. Elle a dit qu'elle ne se sentait pas encore prête à dépasser les cinquante kilomètres heure, mais je finirai par y arriver. Son visage était si plein de joie quand elle s'est habituée à passer les vitesses… j'ai l'impression que je suis né pour voir cette expression.

– Mon prénom est trop *long* ? Est-ce que tu as souvent des problèmes avec les mots de plus de deux syllabes ? Peut-être que tu devrais voir un médecin, rétorque-t-elle. C'est quoi ton surnom, à toi ?

– GQ.

Elle fronce les sourcils, cherchant à comprendre.

– Comme le magazine ?

Je secoue la tête et je lui réponds le plus sérieusement du monde.

– Non, parce que j'ai une Grosse Queue.

Elle éclate de rire.

– Tu as choisi ton surnom tout seul ?

– Non, ce sont les mecs de l'équipe de lacrosse qui me l'ont trouvé. C'est une lourde responsabilité, tu sais, je ne veux pas décevoir les plus jeunes. Mais, comme l'a dit le grand Spider-Man : « Un grand pouvoir implique de grandes responsabilités. »

– C'est Ben, en fait.

– Quoi ?

– C'est son oncle Ben qui dit ça, pas Spider-Man. Tu te souviens ?

Je m'en souviens, mais le fait *qu'elle* se le rappelle… c'est juste génial. Et ça suscite en moi des choses… profondes, émotionnelles et sérieuses.

Cependant, je n'ai jamais été du genre sérieux.

– Que penses-tu de Randy[5] ? Randy Randolph. Je peux t'appeler comme ça ?

– Pas si tu veux que je réponde.

Nous continuons de parler, de tout et de rien. Je ne sais comment, car ce n'était pas prévu et je ne m'y attendais pas, mon bras finit autour de ses épaules et sa tête contre ma clavicule.

J'enlève lentement ses lunettes et je les plie délicatement avant de les poser sur le tableau de bord. Je baisse la tête pour trouver sa bouche, et c'est la chose la plus naturelle au monde. Ses lèvres sont merveilleusement douces et chaudes. J'y promène ma langue, mais elle n'ouvre pas la bouche, alors je ris doucement.

– Quoi ? demande-t-elle en reculant la tête.

Je plonge mon regard dans les yeux magnifiques de cette fille que j'ai connue toute ma vie et ma seule question est : *Bon sang, pourquoi j'ai attendu tout ce temps ?*

– Est-ce que tu as déjà embrassé quelqu'un ?

La dernière fois qu'on en a parlé, l'an dernier, ce n'était pas le cas.

Cependant, elle ne rougit pas et elle ne se braque pas devant ma question. Sa voix est plutôt grave et légèrement pantelante.

– Bien sûr, pourquoi ? Tu insinues que je suis nulle ?

Je ne sais pas qui elle a embrassé, mais qui que ce soit, il devait être sacrément mauvais, ce qui me réjouit.

– Non, mais tu es sur le point de connaître mieux.

Je rapproche mon visage et mes lèvres effleurent sa bouche.

– Ouvre ta bouche pour moi, Kennedy.

---

5. Diminutif de Randolph qui veut aussi dire « excité ».

Il n'y a bientôt plus que le bruit de nos baisers. Nos têtes se penchent d'un côté et de l'autre, nos bouches se sucent, nos langues se caressent. Son goût m'enivre et sa façon de chuchoter mon prénom me rend fou. Nos vêtements finissent au sol, et chaque étape qui suit est simple, naturelle, et merveilleuse.

Après, nous sommes collés l'un à l'autre dans le même siège, épuisés. Je comprends soudain pourquoi tant de films d'amour finissent ainsi, parce que rien n'est plus beau ou agréable.

Kennedy lève la tête vers moi, j'embrasse son front, et ensemble, nous regardons le soleil se lever.

◆◆◆

Le lendemain matin, mes parents me réveillent tôt. Ils me déposent au pensionnat aux aurores et ils rentrent parce que mon père a une urgence au travail. Je suis dégoûté de ne pas voir Kennedy avant de partir, mais je me console à l'idée que je vais vite la revoir à l'école.

Tout va être différent, à présent.

Lorsque j'arrive dans ma chambre, je file sous la douche et je repense à hier soir – à la sensation des mains de Kennedy sur mon corps, aux bruits qu'elle a faits.

Ça tombe bien que je sois sous la douche.

« Salut bébé », j'entends lorsque je sors de ma salle de bain avec ma serviette autour des hanches.

Cashmere est étendue sur mon lit, vêtue de mon maillot de lacrosse, et rien d'autre. Ses paupières sont lourdes, elle fait la moue, et elle a ébouriffé ses cheveux. Elle semble prête pour un shooting du magazine *Playboy*. Il fut un temps où ma bite m'aurait mené droit vers elle et j'aurais été ravi de la suivre.

Cependant, ce n'est plus le cas. L'époque où je me laissais guider par ma queue est révolue, il est temps de suivre mon cœur. Je sais que c'est mielleux, mais je m'en fous.

– Qu'est-ce que tu fais là ?

J'enfile un boxer sous ma serviette parce que je ne suis plus à l'aise à l'idée qu'elle me voie à poil.

– J'ai besoin d'une raison pour venir voir mon copain ?

– Je ne suis plus ton copain.

Elle lève les yeux au ciel.

– Bien sûr que si.

– Tu as rompu avec moi, tu te souviens ? je demande en enfilant mon maillot d'entraînement.

Cashmere rampe vers le bord du lit.

– C'était une erreur, ronronne-t-elle. Laisse-moi me faire pardonner.

Ça fait un an que je suis avec cette nana. Je l'ai baisée dans toutes les positions imaginables et je pensais que c'était de l'amour. Or, en cet instant, face à elle, je ne ressens rien. C'est presque effrayant. Je n'ai aucune culpabilité, aucun regret, aucun reliquat de tendresse qui me pousserait à protéger ses sentiments. D'ailleurs, je ne suis pas sûr qu'elle en ait.

– Si tu n'avais pas rompu avec moi, c'est moi qui aurais pris les devants. C'est fini, Cazz.

Elle baisse les yeux sur mon boxer et elle se lèche les lèvres, puis elle se dresse sur ses genoux pour passer ses bras autour de mon cou.

– Tu n'as pas l'air d'avoir fini, justement.

Je saisis ses poignets et je la regarde droit dans les yeux.

– Crois-moi, c'est *fini*.

Une colère noire enflamme ses yeux alors qu'elle crache son venin.

– On m'a dit que tu as passé le week-end avec ta petite bête curieuse.

Je resserre les poings.

– Ne l'appelle pas comme ça.

– Tu l'as baisée ? C'est pour ça que tu es comme ça avec moi ? siffle-t-elle.

Je lâche ses mains et je recule.

– Ça n'a rien à voir avec Kennedy.

– Arrête, je t'en prie. Tu ne me rejetterais pas si tu n'avais pas trouvé quelqu'un d'autre dans qui fourrer ta bite. Je te connais, Brent.

Elle descend du lit et promène ses doigts sur mon bras.

– C'est pour ça que je sais que quand tu auras fini ta petite expérience ringarde, tu reviendras me voir en courant. On est beaucoup trop bien ensemble.

J'adorais l'entendre dire ce genre de chose, avant. C'est la nana la plus populaire du lycée et ça stimulait ma confiance. Maintenant, ça me fait juste penser que Cashmere n'est bonne qu'à baiser.

– Enlève mon maillot, s'il te plaît. On a match demain soir et ça me portera malheur que tu le portes. Laisse-le sur mon lit, tu veux ?

Elle n'a pas commencé à se déshabiller que je claque la porte de ma chambre.

◆◆◆

Mon entraînement de lacrosse finit plus tard parce qu'un de nos meilleurs défenseurs s'est cassé la cheville la semaine dernière en voulant sauter entre deux poubelles. Ce type est un idiot. Celui qui le remplace est nouveau – il joue bien, mais il angoisse trop –, donc le Coach et moi sommes restés après la fin de l'entraînement pour l'aider à se préparer pour le match de demain. Lorsque je sors enfin du gymnase, le soleil est en train de se coucher.

Je marche vers mon dortoir, mon sac de lacrosse sur l'épaule, et je suis d'excellente bonne humeur. Je ne crois pas avoir cessé de sourire de toute la journée. J'ai peut-être même sifflоté un air joyeux. Ma mère était fan de Gene Kelly quand j'étais petit et, dans ma tête, je fais la danse de *Singing in the rain.*

Trois mecs sont debout sur les marches du dortoir, et même si je ne suis pas du genre à écouter les conversations des autres, deux mots captent mon attention. *Kennedy Randolph.*

– Je t'avais dit qu'elle dirait oui, espèce d'abruti. Je ne sais pas pourquoi tu as attendu trois ans pour lui demander.

C'est Peter Elliot qui parle, c'est un geek, un fan de biologie. Il a obtenu une bourse l'an dernier pour créer une nouvelle espèce de chenille vénéneuse, je crois. Il parle à William Penderghast et Alfonso DiGaldi, qui sont des tronches aussi – calmes, un peu invisibles, qui passent leurs week-ends à la bibliothèque.

– Il ne faut pas forcer les choses. Il fallait que le timing soit parfait. Mais maintenant, le destin est avec moi, et Kennedy Randolph m'accompagne au ciné vendredi. Peut-être que je vais louer une limousine.

William rit sans raison, souriant jusqu'aux oreilles, comme moi jusqu'à il y a dix secondes.

Je marche vers eux sans quitter William des yeux.

– Tu viens de dire que tu allais sortir avec Kennedy Randolph ?

– Ouais, répond-il fièrement.

C'est mort.

– Quand… tu lui as demandé quand ?

– Il y a quelques heures, pourquoi ?

C'est mort.

– Parce que… je…

Il n'y a qu'une explication possible : il y a deux Randolph Kennedy dans ce pensionnat.

C'est cette réponse que je choisis.

– Kennedy ? je demande en montrant sa taille avec ma main. Petite, avec des lunettes, brune ? Ma… cette Kennedy-là ?

Soudain, il commence à s'énerver.

– Ouais, c'est ça. Elle est intelligente, drôle, et je ne connais personne avec un cœur aussi gros. Elle a un sourire magnifique, aussi, et ses yeux sont les plus fascinants…

Il parle encore lorsque je m'éloigne parce que je ne peux plus l'écouter sans risquer de lui mettre une droite. Je vais tout droit au dortoir des filles de terminale. Je ne réfléchis pas, je ne m'arrête pour personne, et ma mâchoire est tellement serrée que c'est un miracle si je ne me casse pas une dent.

Je frappe à sa porte avec le côté du poing jusqu'à ce qu'elle m'ouvre.

Ses yeux ont l'air brillants derrière ses lunettes, et son nez est un peu rouge, comme si elle était enrhumée. Elle étudie mon visage quelques secondes puis elle se tient plus droite.

– Qu'est-ce qui t'amène ?

– Est-ce que tu vas sortir avec William Penderghast ?

Elle passe dans le couloir avec moi et elle referme sa porte, puis elle anéantit le peu d'espoir que j'avais.

– Oui. Pourquoi ?

Pendant quelques secondes, je suis incapable de répondre. Il me faut du temps pour trouver mes mots.

– *Pourquoi ?* Tu fais quoi d'hier soir ? je demande, en essayant de masquer ma dévastation. Je croyais… je voulais…

Elle me coupe la parole et sa réponse me fait l'effet d'une douche glacée.

– C'était fun, mais je sais que ça ne voulait rien dire. Je sais m'amuser comme tout le monde. Et maintenant, je vais faire mon truc avec William, et toi tu vas faire le tien avec…

– Tu vas faire ton *truc* avec William ? Tu es sérieuse ? J'étais quoi, moi ? Ton échauffement ? je hurle.

– Qu'est-ce qu'il se passe, Brent ? s'écrie-t-elle d'une voix furieuse. Je t'ai blessé ? Tu t'attendais à ce que je te suive partout comme toutes les filles du lycée ? Que je me jette sur les miettes que tu veux bien me donner quand tu es d'humeur charitable ?

Je ne comprends pas tout ce qu'elle dit parce que je suis trop déçu et sous le choc. Ça fait mal. C'est sans doute naze de le dire, mais ce qu'on a fait hier soir était spécial, pour moi. *Kennedy* est spéciale à mes yeux. Apparemment, moi, je ne suis rien pour elle.

Je fais donc ce qui me semble naturel, je cache ma déception.

– Je suis juste surpris, c'est tout. Si j'avais su que tu serais aussi facile, je t'aurais chopée il y a longtemps.

Ses joues sont écarlates – de honte ou de colère, je ne sais pas.

– Je ne suis *pas* facile.

– Tu es sûre ? Tu ne le penses peut-être pas, mais tes actions valent plus que tes mots. Il faudra que je compare mes notes avec William, parce que je n'ai même pas eu à essayer, hier soir. Ça m'a paru sacrément facile, si tu veux mon avis.

C'est une chose affreuse à dire, et je ne serais pas surpris qu'elle me gifle – c'est ce que font les meufs quand elles sont vexées. Cependant, comme je l'ai toujours su, Kennedy Randolph n'est pas comme toutes les filles. Elle ne me gifle pas.

Elle me met une énorme droite. Dans la bouche.

Ma tête part brusquement en arrière et un goût de sang remplit ma bouche.

– Putain !

Toutefois, lorsque j'ouvre les yeux et que je la regarde, toute sa colère a disparu. Elle a l'air… anéantie. Elle retient ses larmes – tout juste.

– Je te déteste, siffle-t-elle d'une voix tremblante. Je te *déteste*.

Ses paroles résonnent dans mes os et dans ma tête comme un écho sans fin.

En Histoire, nous avons regardé un documentaire sur la guerre du Viêt Nam, avec des images filmées par la caméra d'un reporteur. Elles montraient un soldat, un gamin, se prendre une balle dans la poitrine. Son visage a eu l'air surpris plus qu'autre chose, parce que tout à coup, il y avait un trou dans son torse à l'endroit où était son cœur quelques secondes auparavant.

Lorsque Kennedy tourne les talons et me claque la porte à la figure, je ressens exactement la même chose.

8

Aujourd'hui, dans le pub

– Je suis venue te voir dans ta chambre, ce matin-là. C'est elle qui a ouvert. Elle portait ton maillot et elle m'a dit que tu étais sous la douche. Elle m'a proposé de t'attendre dedans, mais elle m'a prévenue que vous étiez de nouveau ensemble, que j'aurais l'air désespérée de venir à ta porte, comme ça.

Kennedy déglutit et inspire profondément, comme si ce souvenir était encore trop douloureux.

– Elle ne me l'a jamais dit…

– Non, bien évidemment, poursuit Kennedy en souriant amèrement. J'allais attendre. Je pensais que je méritais de l'entendre de ta bouche, au moins. Mais Cashmere m'a demandé ce que j'espérais. Elle m'a dit que tu étais un héros, et moi un zéro, et que rien ne changerait cela. Elle m'a demandé si je pensais vraiment que tu quitterais quelqu'un comme elle pour quelqu'un comme moi.

Ses yeux deviennent brillants et sa voix tremble légèrement.

– J'étais encore tout excitée de la veille, j'étais folle de joie après ce qui s'était passé. Mais quand elle a présenté les choses comme ça… je l'ai crue. Alors je suis partie, et William m'a arrêtée dans le cloître quand je rentrais au dortoir. Il m'a invitée au ciné… et j'ai dit oui.

Je suis sans voix, trop occupé à revivre cette matinée de son point de vue et à me rendre compte de tout ce que je n'ai jamais fait ou dit.

– Tu me plaisais, je chuchote en regardant la nappe. Tu me plaisais *tellement*… je précise en levant les yeux sur elle.

C'est encore le cas. Derrière ses lentilles de contact, sous son maquillage et ses vêtements haute couture, elle est encore elle. Je peux encore me souvenir de son goût et sentir sa chatte douce et mouillée sur mes doigts. Son désir pour moi était audacieux, elle me serrait fort contre elle, comme si elle ne voulait jamais me quitter.

Elle fronce les sourcils, confuse.

– Mais tu t'es remis avec Cashmere, finalement. Et tu ne m'as plus parlé de toute l'année jusqu'à…

À l'évidence, Kennedy ne comprend strictement rien aux hommes, ou plutôt aux garçons, car c'est ce que j'étais à l'époque.

– Tu m'as dit que notre nuit ensemble ne valait rien à tes yeux. Que je n'étais rien et que tu sortais avec William. Quand je me suis énervé, tu m'as dit que tu me détestais, je dis en frottant ma barbe. Je me suis remis avec Cashmere parce qu'elle voulait de moi alors que toi *non*. Elle n'était qu'un substitut. Je ne voulais pas perdre la face, c'est tout. Et je ne t'ai pas reparlé parce que c'était trop dur pour moi.

– On était amis…

– Pas pour moi, non. Pas après cette nuit. Je ne voulais plus ton amitié, Kennedy. Je te voulais, *toi*. Et si je ne pouvais pas t'avoir, alors il fallait que je fasse comme si tu n'existais pas. C'était le seul moyen d'essayer de me convaincre que tu ne me manquais pas.

Cependant, je pensais quand même à elle. Je rêvais d'elle, et elle me manquait, tout le temps.

Kennedy regarde la table, perdue dans ses pensées. Ensuite, elle lève la tête, elle se lèche les lèvres, et elle semble décider de quelque chose.

– Alors c'est pour ça que tu as fait ça, murmure-t-elle. Tu voulais me faire du mal, te venger. Eh bien bravo, tu as réussi ton coup.

Quelque chose dans le ton de sa voix me met sur le qui-vive.

– Que crois-tu que j'aie fait, au juste ?

– Tu m'as tendu un piège, répond-elle en me fusillant du regard. Tu m'as humiliée. Tu... Ce soir-là, tu m'as anéantie, Brent.

– Le soir du bal de promo ?

– Oui.

Voilà, c'est ça. C'est *ça* que je veux savoir depuis quatorze ans.

– Fais comme si tu étais un témoin appelé à la barre, je lui dis. Commence au début et raconte-moi *tout*. Fais-moi comprendre.

Elle se mord la lèvre et respire lentement en me regardant dans les yeux.

– En avril, j'ai commencé à recevoir des messages sur le tchat du lycée. Des messages de toi. Ils disaient que tu étais désolé et que je te manquais. Tu me disais combien tu voulais être avec moi, mais que tu ne pouvais pas rompre avec Cashmere à cause de vos familles, que vos pères concluaient un deal, ou quelque chose comme ça.

Elle boit une gorgée de bière avant de poursuivre.

– Au début, je n'ai pas cru que c'était toi. Je pensais que c'était une blague. Mais les messages n'arrêtaient pas, et on aurait vraiment dit ta façon de parler. Donc, pour te tester, je t'ai demandé où s'était passé notre premier baiser.

Elle marque une pause et je retiens ma respiration.

– Tu as répondu que c'était sur le toit, le soir du nouvel an, quand on avait neuf ans. C'est comme ça que j'ai su que ça ne pouvait être que toi. J'étais tellement excitée, Brent. Ça faisait tellement longtemps que je voulais… Bref. Une semaine avant le bal de promo, tu m'as envoyé un message en me disant que tu voulais me voir, que tu voulais danser avec moi. Tu m'as demandé de te retrouver au bord du lac, derrière l'auditorium. Vicki n'était pas d'accord, mais j'étais trop contente pour l'écouter. J'ai appelé Claire et je lui ai demandé de venir m'aider à me maquiller et à choisir une robe. Elle était tellement heureuse, elle avait l'impression d'être ma marraine la fée.

Sa voix se met à trembler et j'ai soudain envie de vomir, parce que je sais comment se termine cette histoire.

– Ma robe était blanche. Elle était magnifique et je me trouvais belle, dedans. J'avais lâché mes cheveux et Claire m'avait fait des boucles, ils n'avaient jamais été aussi doux et brillants, dit-elle en me regardant tristement. Et j'ai mis des lentilles de contact pour la première fois de ma vie.

Je ferme les poings et ma gorge se resserre.

– J'ai attendu près du lac, j'entendais la musique dans l'auditorium derrière moi. Il y a eu un bruit de pas et j'ai appelé ton nom, mais personne n'a répondu. Tout à coup, j'ai reçu de la boue sur la poitrine. Il y avait plusieurs personnes et elles riaient. J'avais l'impression que la boue venait de toutes les directions. Elle était froide et râpeuse, et j'en ai reçu sur les bras, sur la robe, sur le visage. Un caillou m'a coupé la joue, dit-elle en me montrant une cicatrice. Ça n'a duré que quelques secondes, mais ça m'a paru durer une éternité. Je suis tombée par terre et je leur ai supplié d'arrêter, puis j'ai pleuré.

Elle ne pleure pas, maintenant. Ses yeux sont secs et son regard est lointain.

– Je n'ai pas tout de suite remarqué que c'était fini. Je suis restée effondrée sur le sol pendant longtemps. Je n'arrivais pas à croire que tu m'avais fait ça. J'étais furieuse d'avoir cru en toi. J'ai fini par me lever et je me suis essuyée du mieux que j'ai pu. Je savais qu'il fallait que je passe devant l'auditorium pour rentrer, et bien sûr, toute la promo de terminale était là.

Je me souviens de l'avoir vue, l'air hagard et blessé.

– Tu as eu l'air horrifié, Brent. Anéanti. Quand tu as mis ta veste sur mes épaules, j'ai presque cru que tu n'avais rien à voir dans cette histoire. Mais Cashmere est arrivée, elle m'a donné un mouchoir, et elle a fait semblant de vouloir m'aider. Sa voix était convaincante mais je voyais dans son regard qu'elle riait intérieurement. Alors j'ai su que tu faisais partie de cette triste blague, toi aussi.

J'entends encore les paroles qu'elle a chuchotées, ce soir-là.

– *Tu es malade. Il y a quelque chose qui ne va pas chez toi. Ne m'approche pas. Laisse-moi tranquille.*

– Vicki et Brian sont arrivés et ils m'ont emmenée à l'infirmerie, puis à notre chambre.

Alors voilà toute l'histoire. Je suis fou de rage et mes mains tremblent sur la table. C'est vraiment tordu. Les enfants ne sont pas juste des enfoirés, ce sont des sociopathes. Apparemment, je sortais avec leur reine.

– J'aurais dû te suivre, je dis d'une voix rauque.

Si seulement je pouvais retourner dans le passé et casser la gueule à celui que j'étais, à dix-sept ans.

– Ce soir-là, j'aurais dû t'accompagner à l'infirmerie. Je l'ai toujours regretté.

Elle ne dit rien.

– Quand je suis allé à ta chambre, le lendemain matin, tu étais partie.

– Claire est venue me voir. Elle a incendié le proviseur au téléphone et elle l'a convaincu de me laisser finir mon année à distance.

– Je t'ai attendue, tout l'été. J'allais tout le temps chez toi, mais tu n'es jamais rentrée.

Il est important qu'elle sache que je l'ai cherchée.

– Claire et moi avons passé l'été en Europe. Toute cette histoire nous a beaucoup rapprochées, en fait.

– Je ne savais pas.

Elle secoue lentement la tête.

– Brent, allons…

J'ai le plus grand mal à me retenir de crier.

– Pourquoi je mentirais ? Après *toutes ces années*, qu'est-ce que j'aurais à gagner en te mentant aujourd'hui ? Je ne te ferais pas ça. *Je ne savais pas*, Kennedy.

Elle n'est toujours pas convaincue.

– Les messages, ils venaient de ton compte.

– Ça devait être Cashmere. Elle était toujours dans ma chambre, et elle connaissait tous mes mots de passe. C'était la seule qui… qui aurait voulu te faire autant de mal.

Il n'y a jamais de bonne raison de lever la main sur une femme. Toutefois, si mon ex était là, maintenant, j'aurais du mal à tenir parole.

Le visage de Kennedy est impassible alors qu'elle examine les preuves sous tous les angles.

– Comment était-elle au courant pour le baiser sur le toit ? Je n'ai pas cru que c'était toi jusqu'à ce moment-là.

Mon corps se tend et je masse ma nuque qui est soudain affreusement nouée.

– Peut-être que je le lui ai dit, un jour ? Ou peut-être que je l'ai dit en soirée, pendant une partie d'*Action ou Vérité*, un soir ? On m'a probablement demandé de raconter mon premier baiser.

Son regard s'adoucit un peu.

– Tu considères ça comme ton premier baiser ?

– Tu étais une fille et tes lèvres étaient sur mon visage, donc ouais. Pour moi, tu es la première fille que j'ai embrassée.

Elle hoche la tête et je lève la main pour caresser sa joue.

– Est-ce que tu me crois ? J'ai besoin que tu me croies, Kennedy.

– Je ne sais pas. J'étais tellement sûre, pendant toutes ces années. Maintenant… ce que tu dis est logique. Mais je refuse qu'on me reprenne un jour pour une idiote.

Je baisse la main et je finis ma bière alors que Kennedy reste silencieuse.

– Je suis lessivée. On peut s'en aller ?

Je la comprends, les révélations sont épuisantes. J'ai l'impression d'avoir été continuellement frappé sur le torse avec une massue pendant trois heures.

– Bien sûr.

Je jette les billets sur la table, je recule ma chaise, et je lui tends la main. Une fois dehors, je lui propose de prendre un taxi.

– J'habite à quelques rues d'ici, je vais plutôt marcher.

– D'accord, alors je te raccompagne.

Elle sourit et remet ses cheveux derrière son oreille.

– Tu n'es pas obligé…

– Si, bien sûr que si. S'il te plaît… laisse-moi au moins faire ça.

Elle m'étudie un moment en fronçant les sourcils, comme si j'étais une énigme qu'elle cherchait à résoudre.

– D'accord. C'est par là.

Nous marchons côte à côte en silence, et environ dix minutes plus tard, nous arrivons. Sa maison ressemble à une maison de poupée de l'époque victorienne, avec une tour arrondie sur un côté, un balcon qui fait le tour de la maison au premier étage et des fenêtres arquées. Au-dessus des gouttières, une grille pointue en fer forgé fait le tour du toit, et, en contrebas, la même fait le tour du jardin à l'angle de la rue. La maison a besoin d'une couche de peinture, de nouveaux volets et de nouvelles marches pour le perron, mais elle a un potentiel énorme. Avec un peu d'amour, cette baraque pourrait être magnifique.

– Je la rénove, ce qui est aussi affreux qu'on l'imagine quand on habite dedans pendant les travaux, dit Kennedy. Mais elle en vaut la peine. C'est Tante Edna qui me l'a léguée.

Je tourne brusquement la tête vers elle.

– Tante Edna est morte ? Merde, elle était cool ! Pourquoi on ne me l'a pas dit ?

– Tu étais parti skier, j'ai entendu quelqu'un le dire aux obsèques. Ta mère a dû oublier de te le dire quand tu es rentré.

– Je suis content qu'elle te l'ait laissée.

Je souris car j'imagine Kennedy, petite, parcourir cette grande maison à la recherche d'aventures, de trésors, et de mystères.

– Je parie que tu as adoré fouiller dans le grenier.

– Carrément ! dit-elle en écarquillant les yeux.

Je le savais, parce que les gens ne changent pas vraiment sur ce genre de point.

– Peut-être que tu me la feras visiter, un jour ?

Elle semble encore inquiète, comme si elle se méfiait de mes intentions. Je suppose que les vieilles habitudes ne disparaissent pas si facilement.

Elle déverrouille la porte et se tourne vers moi avant d'entrer.

– Au revoir, Brent.

Je caresse son bras du bout des doigts, car je ne peux pas m'en empêcher.

– Bonne nuit, Kennedy. Je… je suis content qu'on ait discuté. Si je ne te l'ai pas déjà dit, je suis ravi que tu sois rentrée.

– Moi aussi, répond-elle en souriant.

C'est un sourire timide, mais c'est néanmoins un sourire.

Je serre brièvement son bras et je descends les marches vers le portail. J'y suis presque arrivé lorsqu'elle m'appelle.

– Brent ?

Je me tourne vers elle.

– Ça ne change rien pour le procès. Lundi, je m'attends à ce que tu sois aussi agressif que d'habitude. Si tu y vas doucement, ça voudra dire que tu ne me respectes pas, que tu penses que je ne suis pas assez forte pour me battre contre toi. Et ça, je ne pourrais jamais te le pardonner.

Je hoche la tête et elle entre chez elle, en fermant lentement la porte derrière elle.

En fait, j'étais déjà lucide à onze ans : les filles sont bizarres.

◆◆◆

Le lendemain matin, un samedi, je me réveille plus tôt que d'habitude avec les paroles de Kennedy qui passent en boucle dans ma tête. Quelque chose me taraude, alors je fais l'impasse sur mon footing habituel et je passe une heure dans mon bureau à faire des recherches sur Internet.

C'est dingue – et flippant – de voir toute l'information personnelle qui flotte sur le Net et combien c'est simple d'y accéder. Lorsque je trouve enfin l'info que je veux – une adresse à trente minutes de Washington –, je la rentre dans Google Maps et je sors.

Lorsque je frappe à la porte, j'entends des voix étouffées à l'intérieur, puis le bruit de pas qui approchent. La porte s'ouvre, et Victoria Russo, la vieille camarade de chambre de Kennedy, me dévisage.

– Brent Mason ?

– Salut, Vicki.

Elle a l'air en forme, d'ailleurs elle n'a presque pas changé. Ses rides de sagesse sont un peu plus prononcées, mais son carré plongeant est encore noir de jais avec des reflets bleus, son nez est toujours percé, et son regard crie toujours qu'il ne faut pas lui chercher des noises. La dernière fois que je l'ai vue, elle a essayé de me mettre un coup de pied dans les couilles.

– Qu'est-ce que tu fais ici ? demande-t-elle.

Je plonge mon regard dans le sien pour qu'elle voie combien je suis sincère.

– J'ai besoin de ton aide.

9

Dix minutes plus tard, je suis assis à la table de la cuisine de Vicki, une tasse de café entre les mains. Sa maison est une jolie demeure familiale dans un lotissement de pelouses vertes, d'allées pavées en brique et de piscines bordées de haies. Sa cuisine est immense, mauve avec des placards crème, et partout aux murs sont accrochées des photos de petites filles aux cheveux noirs et de Vicki et Brian Gunderson.

Brian était à Saint Arthur, lui aussi. C'était un grand mec maigrichon avec des jeans trop larges, qui écoutait Snoop Dogg et qui était boursier. Je me souviens de les avoir vus ensemble sur le campus et qu'il était son rancard au bal de promo. Apparemment, ils sont mariés, aujourd'hui.

Dans le salon à côté de la cuisine, il y a une pile de livres dont les couvertures montrent des hommes, torse nu, dont la plupart sont en train d'embrasser des femmes tout aussi belles et dévêtues. L'auteur de ces livres est V. Russo.

– Tu es écrivain ?

– Ouais. J'écris des romans d'amour.

– Brian a de la chance.

– Oui, répond-elle en riant. En effet. Tiens… un héros avec une prothèse à la jambe ferait une histoire intéressante.

– Ha ! Eh bien… si tu as besoin d'un conseiller technique, n'hésite pas à m'appeler. Mais en attendant… tu es toujours en contact avec Kennedy ?

Elle hausse un sourcil, puis elle tourne la tête vers le couloir.

– Louise ! Viens ici, s'il te plaît.

Une fillette avec de longs cheveux noirs et qui ne peut pas avoir plus de cinq ans entre dans la cuisine.

– Oui, Maman ?

Vicki s'accroupit à côté d'elle.

– Louise, voici un ancien camarade de classe de Maman. Il s'appelle monsieur Mason. Tu peux lui dire bonjour ?

La petite m'offre un sourire plein de confiance.

– Bonjour, monsieur Mason.

– Bonjour, Louise.

– Peux-tu dire à monsieur Mason quel est ton nom complet, ma puce ?

– Louise Kennedy Gunderson.

Je hoche la tête.

– C'est un très joli nom, je lui dis.

– Tu peux retourner t'amuser maintenant, ma puce.

Louise sort de la cuisine et Vicki boit une gorgée de café.

– Kennedy est la marraine de nos filles. C'est elle qui en obtiendra la garde si nous mourons, même si j'ai deux frères mariés et que Brian a une sœur.

Mince, ça va rendre cette conversation *légèrement* plus compliquée, mais tant pis.

– Dans ce cas, je suppose que Kennedy t'a parlé de notre procès ?

– Celui où elle te met une raclée ? Oui, je suis au courant, répond-elle en souriant jusqu'aux oreilles. Elle m'a aussi parlé de votre conversation, hier soir. Elle m'a dit que tu avais clamé ton innocence, ajoute-t-elle d'une voix amère.

– Je n'ai rien à voir avec ce qui lui est arrivé au bal de promo.

– Tu as *tout* à voir avec ça. Ta copine et ses amies ont fait de la vie de Kennedy un enfer à cause de toi, et tu n'as rien fait.

– Je ne savais pas que c'était si grave.

– Mais tu en savais assez.

Je n'ai pas de réponse, parce qu'elle a raison. Il est facile, aujourd'hui, avec la maturité d'un adulte, de voir tout ce que j'aurais dû faire autrement.

– C'est pour ça que je suis là, je poursuis d'une voix ferme et exigeante. J'ai besoin que tu me dises ce que je ne sais pas.

– Pourquoi ?

– Parce que je ne pense pas que Kennedy le fera. En tout cas, elle ne me dira pas tout. Parce que je veux me rattraper. Parce que j'ai l'impression d'être un ivrogne qui a eu un trou noir et qui est en train de décuver. J'ai besoin de savoir ce qui s'est passé pendant que j'étais inconscient. Parce que… Kennedy a toujours été *la* femme de ma vie.

Vicki lève les yeux au ciel.

– La femme de ta vie ? Tu es sérieux ? J'écris des romans d'amour et *même moi* je trouve ça mielleux, c'est dire !

– Ce que je veux exprimer c'est que… tu n'as jamais eu quelqu'un à qui tu comparais tous les autres ? Celle-ci est sympa, mais pas autant que… celle-là est intelligente, mais pas autant que… Kennedy a toujours été dans mes pensées, même quand je ne m'en rendais pas compte. C'est à elle que j'ai comparé toutes les autres et elles n'ont pas fait le poids. Et… elle m'a manqué, Vicki. Je veux réapprendre à la connaître.

Elle me dévisage quelques secondes en mordant l'intérieur de sa joue, puis elle hoche la tête.

– D'accord.

◆◆◆

Vicki passe l'heure qui suit à faire le récit des deux années de torture psychologique et émotionnelle que Kennedy a subies. Certaines anecdotes sont des exemples classiques de rivalité écolière – des regards noirs et des coups d'épaule dans le couloir. En revanche, d'autres sont bien plus sinistres : des mots glissés sous la porte de sa chambre lui disant de se suicider, lui disant qu'elle était moche, qu'elle était un monstre et qu'elle ne valait rien. C'était un harcèlement calculé, prémédité, et sans relâche.

– Pourquoi elle n'a pas porté plainte, bon sang ? Elle aurait pu dénoncer Cashmere au proviseur, non ?

– Pour de nombreuses raisons. Kennedy ne voulait pas que Cashmere pense qu'elle avait atteint son but. En plus, cette garce avait tout un clan derrière elle. Si c'était la parole de Kennedy et moi contre la leur, qui crois-tu que le proviseur aurait cru ? Et si elle l'avait dénoncée et que l'école avait pris le parti de Cashmere, les choses seraient devenues bien pires. C'est toujours le cas.

Doux Jésus. Il faut vraiment que quelqu'un foute le feu à cette école.

– Pourquoi elle ne me l'a pas dit, à *moi* ? je demande en serrant les poings.

– Parce que ta tête était enfouie tellement profond dans la chatte de ta meuf que Kennedy n'a pas pensé que tu en aurais quelque chose à faire.

– Bien sûr que si, je réponds.

– Elle avait honte. Il faut que tu comprennes que… tu étais tout pour elle, Brent. Quand tu as commencé à t'éloigner… elle n'avait peut-être plus ton amitié, mais elle n'a jamais voulu ta pitié, explique Vicki. Ça a vraiment ravagé Kennedy, pendant longtemps. Elle a retrouvé confiance en elle, mais ça a foutu en l'air sa capacité à accorder sa confiance aux autres. Et c'est normal, surtout après ce qu'il s'est passé à la fac.

– Qu'est-ce qu'il s'est passé à la fac ?

Vicki grimace, regrettant d'être allée trop loin.

Toutes les statistiques que je connais par cœur défilent dans ma tête et je me crispe lorsqu'une vague de colère noire tourbillonne déjà dans mon ventre.

– Est-ce que… est-ce qu'elle a été violée ?

– Je n'aurais pas dû…

– Si elle a été violée, Vicki, je vais *tuer* quelqu'un, je gronde.

– Elle n'a pas été violée, me rassure-t-elle. Elle avait un copain à la fac – son premier « vrai » copain. Il était membre d'une fraternité. Ils sont sortis ensemble pendant quelques mois, et elle pensait qu'ils s'aimaient. Puis, un jour, il lui a dit qu'il était sorti avec elle pour un pari.

Un pari ?

– Une compétition dans sa fraternité. L'idée était de savoir qui pouvait se taper le plus de filles, et il y avait des points bonus pour les vierges.

Je me frotte les yeux, estomaqué. Je ne comprends pas comment font les femmes. Je ne comprends pas qu'elles n'aient pas envie de tous nous tuer. Une proportion significative de la population masculine mérite d'être castrée, je ne dis pas ça à la légère.

– Le plus triste, poursuit Vicki, c'est que ce connard a fini par avoir de véritables sentiments pour elle. C'est pour ça qu'il lui a avoué le pari, il ne voulait pas que leur relation soit fondée sur un mensonge. Bien évidemment, quand Kennedy l'a su, elle a rompu avec lui. Et maintenant, elle ne baisse sa garde pour personne. Il n'y a qu'en moi, Brian et sa sœur qu'elle ait confiance.

◆◆◆

Plus tard, devant sa porte d'entrée, je remercie Vicki d'avoir pallié mon manque d'informations. Elle n'est toujours pas certaine de pouvoir se fier à moi, mais je peux vivre avec.

– Tu vas lui dire que je suis venu, n'est-ce pas ? je demande.

Elle sourit.

– Je serai au téléphone avant que tu n'aies regagné ta voiture.

◆◆◆

Sur le chemin du retour à Washington, je n'ai qu'une pensée à l'esprit : je n'ai jamais dit à Kennedy que j'étais désolé. Après tout ce qu'elle a raconté hier soir, après tout ce qu'on a tiré au clair… je ne lui ai jamais demandé pardon. Et j'aurais dû.

Parce que je suis *sincèrement* désolé. Elle mérite de l'entendre.

Je ne l'ai pas défendue quand il le fallait. Je ne l'ai pas protégée. Je n'ai même pas essayé. Il n'y a rien au monde que je regrette davantage.

Je repense à ce que Vicki m'a raconté, aux conneries que Kennedy a subies et que, d'une certaine façon, elle subit encore. C'est un peu comme ma jambe : ça ne me pourrit pas la vie, mais je dois vivre avec tous les jours et ça fait partie de qui je suis. Or c'était en échange d'une part de moi-même que je ne récupérerai jamais.

Je crois qu'il y a une part de Kennedy, de son enfance, de sa confiance en elle, qui a été transformée à jamais à Saint Arthur.

Je dois lui dire que je suis désolé. Je ne peux pas attendre une minute de plus.

C'est ainsi que je me retrouve dans la salle de bal d'un des hôtels les plus luxueux de Washington. C'est un gala de levée de fonds pour David Prince pour lequel chaque billet d'entrée coûte dix mille dollars. J'ai dû appeler deux ou trois cousins qui connaissent les bonnes personnes, mais j'ai eu mon entrée.

Vêtu de mon costume trois-pièces – avec un je-ne-sais-quoi de James Bond, si j'ose dire –, je me faufile parmi les invités, balayant la foule du regard, à sa recherche. Prince est sur scène, en train de faire un discours. Je repère Kennedy au fond, près du bar. Elle porte une robe bustier blanche, moulante, qui lui arrive à mi mollet, révélant des sandales à talon argentées super sexy. Ses cheveux sont lâchés et ils tombent en un rideau d'or dans son dos. Elle parle à quelqu'un, et elle semble sur le point de rire. Elle est si belle que j'en ai le souffle coupé.

J'avance vers elle et elle me voit approcher. Lorsque je l'atteins, l'autre personne est partie et il n'y a plus qu'elle et moi, à moins d'un mètre l'un de l'autre.

– Qu'est-ce que tu fais là ?

– Il fallait que je te voie.

– Je ne crois pas que…

– Je te demande pardon, Kennedy.

Quoi qu'elle fût sur le point de dire, elle le ravale. Ses traits se détendent et sa mâchoire se décontracte. Elle est soulagée. Elle ne s'en rendait peut-être pas compte, mais elle avait besoin d'entendre ces mots.

– J'aurais dû te soutenir et je m'en voudrai toute ma vie de ne pas l'avoir fait. J'étais égoïste et stupide, et tu méritais mieux.

Elle détourne le regard, comme si tout cela était trop pour elle. Cependant, lorsqu'elle tourne de nouveau la tête vers moi, ses yeux contiennent une paix intérieure que je n'ai pas vue depuis longtemps.

– Merci.

Tout à coup, je remarque ce qui est différent dans son apparence et pourquoi chaque cellule de mon corps est ravie de rester plantée là, à la regarder bêtement.

Ce sont ses yeux. Ses lentilles turquoise ont disparu et je me noie dans ses iris ambrés.

Elle ne savait pas que je serais là ce soir, mais j'aime croire qu'elle les a enlevées pour moi. Je veux prendre ça comme un signe, parce que ces yeux sont à *moi* – la fille qui se cache derrière était à *moi*, à une époque.

Peut-être accepterait-elle d'être mienne, de nouveau…

Je me perds joyeusement dans ces yeux que je n'ai pas vus depuis tout ce temps alors que tous les regards de la salle sont sur Prince, qui sourit de toutes ses dents blanches en s'adressant au public déjà conquis.

« Et quoi vous dire de plus beau, annonce-t-il, sinon que la superbe Kennedy Randolph va devenir ma femme ! »

– Qu'est-ce qu'il vient de dire ? je m'exclame.

– Qu'est-ce qu'il vient de dire ? s'écrie Kennedy en écarquillant les yeux.

Toute la salle applaudit.

– Tu es fiancée ? je lui demande.

– Non... elle répond en penchant la tête sur le côté.

– Tu es sûre de ça ?

Elle n'a pas l'air certaine, or c'est le genre de chose qui ne passe pas inaperçu et qu'on n'oublie pas facilement, non ?

– David est allé voir mon père, la semaine dernière. Il m'a dit qu'il devait lui parler d'une chose importante, explique Kennedy.

Elle ferme légèrement les yeux, comme si elle déchiffrait des hiéroglyphes.

– Mais il ne t'a pas posé *la* question ?

– Non. Il a dû sauter cette étape.

La foule vient vers nous comme un tsunami, et Kennedy est engloutie par une vague de gens enthousiastes qui la traînent vers la scène. Je fronce tellement les sourcils que je suis sur le point d'avoir une crampe. L'élégante madame Randolph apparaît à mes côtés, à l'endroit que vient de libérer sa fille, regardant le vacarme en souriant.

– Il semblerait que je doive vous féliciter, je dis.

– Il semblerait, oui.

– Est-ce qu'elle l'aime ? je demande à Mitzy d'une voix rauque sans quitter sa fille des yeux.

Madame Randolph réfléchit un moment avant de répondre.

– David est un jeune homme ambitieux. Je suis certaine qu'il sera président, un jour. Il va très bien avec ma fille.

– Ce n'est pas ce que je vous ai demandé.

Elle soupire.

– Claire et moi avons toujours été proches, nous nous sommes toujours comprises. Mais Kennedy... je crains qu'elle ne reste toujours une énigme pour moi. Qu'en pensez-vous, Brent ? A-t-elle l'air d'une jeune femme amoureuse ?

Kennedy est aux côtés de Prince, à présent. Des micros noirs sont tendus vers elle et des flashs illuminent son visage pâle et ses grands yeux.

Amoureuse ? Non.

Morte de trouille ? *Absolument.* On dirait une souris prise dans un piège, prête à ronger sa propre jambe pour s'échapper.

J'étais un ami pourri pour Kennedy quand nous étions au pensionnat. Mais vous savez quoi ? On n'est plus au pensionnat. Alors je marche vers la scène d'un pas déterminé, jouant des coudes pour me frayer un chemin.

– Pardon. Excusez-moi. Pardon.

Je rejoins enfin le couple malheureux et je salue Prince d'un signe de tête.

– Salut, comment ça va, Dave ?

Il a l'air confus.

– Euh… très bien… merci.

– Tant mieux, je réponds.

Puis je prends Kennedy dans mes bras, et je cours.

L'élément de surprise joue en ma faveur et plusieurs secondes s'écoulent avant que qui que ce soit n'ait le réflexe de réagir.

– Qu'est-ce que tu fais ? s'écrie Kennedy.

– Je viens à ta rescousse.

Pendant une affreuse seconde, je me dis qu'elle ne voulait peut-être pas être secourue. Mais ses bras se resserrent autour de mon cou et elle plaque son corps contre le mien.

– Dépêche-toi, ils arrivent !

J'accélère le pas en souriant.

– Détends-toi, tu es avec moi, maintenant.

10

Nous faisons irruption dans la rue et nous continuons de courir. Sans ralentir, je sors mon téléphone de ma poche.

– Harrison, rejoins-moi à l'arrière du bâtiment. Code Fast and Furious.

Kennedy recule la tête et me regarde dans les yeux, interloquée.

– Fast and Furious ?

– Il a vingt-deux ans ; ils sont tous fans de ces films. Je n'y comprends rien.

Quelques instants plus tard, ma Rolls Royce s'arrête à nos côtés en crissant des pneus. Harrison sort vite de la voiture et nous ouvre la porte alors que les cris se rapprochent. Je jette Kennedy sur la banquette arrière et je plonge après elle. Mon fidèle domestique écrase son pied sur l'accélérateur – comme il a dû le faire des dizaines de fois dans ses rêves les plus fous –, et nous fuyons.

Kennedy se tourne vers moi, les yeux grands ouverts.

– Mon Dieu ! Mon Dieu, Brent !

Je lève la main pour la faire taire.

– S'il existe une situation dans laquelle l'alcool est mérité, c'est celle-ci.

J'appuie sur un bouton de la console en bois qui nous sépare de la cabine de chauffeur, révélant un minibar contenant un décanteur en cristal. Je sers deux verres de scotch et je lui en donne un, qu'elle boit cul sec, comme une étudiante durant une soirée de bizutage.

Impressionnant.

Elle vide tout l'air de ses poumons et ouvre la bouche pour parler.

– Pas encore, je dis en remplissant son verre.

Elle s'empresse de le vider, grimaçant lorsque les quatre-vingts ans d'âge lui brûlent la gorge.

– Waouh.

Je bois une gorgée à mon tour et je pointe mon index sur elle.

– Maintenant, vas-y.

Elle soupire une nouvelle fois.

– Il vient vraiment de se passer ce que je crois ?

– Je crois bien, oui.

– Ce n'est même pas sérieux entre David et moi ! Ça fait deux mois qu'on se voit et on a vécu dans des États différents pendant la moitié de ce temps. Il a parlé d'emménager ensemble, ce qui était déjà assez fou, mais jamais de mariage ! Qui fait ça ? Comment peut-il annoncer à une salle pleine de gens, et de caméras de télé, que je vais être sa femme, sans même m'en avoir parlé avant ?

Il est possible que ce pauvre David ait voulu être romantique, mais je ne vais pas le dire à Kennedy.

– Quel abruti, je dis plutôt en secouant la tête.

– Mais oui, n'est-ce pas ?

Je remplis son verre encore une fois, et elle le sirote.

– En plus, je suis presque sûre qu'il me trompe. Avec sa stagiaire !

– Bon sang, mais il se prend pour qui ce type, Bill Clinton ?

– Exactement !

Elle étudie ses mains et sa voix s'adoucit.

– Le pire, c'est que ça ne me dérange pas. Pas même un peu. C'est le signe que quelque chose ne va pas, non ?

– Bon sang, bien sûr que oui. Ça fait longtemps que tu aurais dû te débarrasser de cet enfoiré.

Elle finit son troisième verre, et je vois qu'elle commence à être un peu moins précise dans ses gestes.

– Mais je n'arrive quand même pas à croire que j'aie fait ça. Quand un mec demande une femme en mariage, il ne mérite pas qu'elle s'enfuie en courant, si ?

– Techniquement, tu n'as pas eu le choix puisque je t'ai kidnappée, mais bon, ce n'est qu'un détail.

– Mes parents…, commence-t-elle en se frappant le front avec la paume de sa main. Ma mère adore David. Elle va être tellement déçue.

– Ça fait des années que mon père est déçu par mes choix. Ce n'est pas la fin du monde, crois-moi, je dis en finissant mon verre. On devrait aller faire la fête et se détendre un peu. Tu l'as mérité. Appelle Vicki et Brian, on peut aller les chercher.

Kennedy appelle sa meilleure amie et lui fait un bref résumé de notre échappée médiatique. Du peu que j'entends, Vicki n'était pas fan de Prince, elle non plus. Lorsque Kennedy lui demande s'ils veulent sortir avec nous, j'entends la voix de Vicki depuis là où je suis.

– Brian, appelle ta mère !

Il semblerait que nous formions un quatuor.

◆◆◆

Nous finissons dans un bar pour étudiants près de chez Vicki et Brian. Après quelques tournées, Brian Gunderson s'essaie au karaoké et il chante *I can't feel my face* devant sa femme, qui applaudit et danse durant toute la chanson.

Quelques tournées plus tard, Kennedy se lance aussi. Elle chante *Fight Song* et, si sa voix n'est pas merveilleuse, son petit corps sexy qu'elle trémousse et déhanche lui vaut une standing ovation de tous les étudiants du bar – et ils sont nombreux.

Une heure avant la fermeture, je commence à être joyeux alors que mes trois compères sont plus que soûls. Vicki supplie Kennedy de chanter une autre chanson, mais quand elle essaie de monter sur scène, elle finit sur les fesses, écroulée de rire.

Un étudiant va pour la relever mais je suis déjà là, le fusillant du regard.

– Bon, il est temps de rentrer, ma cacahuète.

– Rentrer ? Mais c'est cool ici, je m'amuse !

– Oui, c'est toujours très marrant, jusqu'à ce que quelqu'un s'ouvre l'arcade sur un coin de table, je dis en la soulevant dans mes bras.

◆◆◆

Brian sort de ma voiture devant chez eux. Il appuie son coude sur le toit et me tend sa main.

– Mec, on devrait refaire ça bientôt. Je suis super content que tu ne sois plus le même connard qu'au lycée.

Je crois que c'est un compliment. En tout cas, c'est ainsi que je choisis de le prendre.

– Merci, mec. Ça me fait chaud au cœur.

Vicki serre Kennedy dans ses bras sur la banquette arrière.

– Je t'aime, Vicki ! marmonne Kennedy.

– Je t'aime aussi, Ken-ken, répond Vicki. Et toi, s'exclame-t-elle en se tournant vers moi, prends soin de ma Kenny ! Ne m'oblige pas à te casser la gueule, gronde-t-elle.

– Ce ne sera pas nécessaire, promis.

– Tant mieux ! Dans ce cas, il y a quelque chose que tu devrais savoir.

Son expression devient sérieuse et elle me fait signe d'approcher comme si elle allait me confier un secret. Toutefois, elle parle si fort que même Brian l'entend sur le trottoir.

– Kennedy n'a pas eu d'orgmasme... d'ormasme... Kennedy n'a pas joui depuis suuuuuuuper longtemps. Genre des années. En tout cas, pas avec un mec.

– Chuuuut ! siffle Kennedy. C'est un secret !

– Peut-être que Brent peut t'aider ?

Je regarde Vicki en levant un pouce – et ce n'est pas la seule chose qui est levée, je vous l'avoue.

– T'en fais pas, Vicki, je suis sur le coup. Et j'aime les paiements rétroactifs, donc elle aura compensation pour tout le fun qu'elle a raté.

Sur ce, Brian aide sa femme à sortir et ils s'engouffrent dans leur maison.

Ils sont légèrement fous, d'une manière qui me laisse penser qu'ils s'intégreraient bien à un de mes repas de famille, et néanmoins très cool.

◆◆◆

– Tu te souviens qu'à quatorze ans on a parlé de masturbation ?

En revanche, cette conversation n'a rien de fun.

– Je t'ai demandé si tu le faisais et tu m'as répondu « Ils m'ont coupé la jambe, Kennedy, pas la main, je le fais tout le temps ».

Elle niche sa joue dans mon cou et éclate de rire.

Ça a commencé dans la voiture avec des effleurements innocents qui ne l'étaient pas du tout, puis elle a enchaîné sur cette discussion. Mon Dieu, Kennedy aime beaucoup parler quand elle est bourrée.

– Ensuite, tu m'as demandé si moi aussi je le faisais, et j'ai répondu « Absolument pas ».

Elle n'arrête pas de parler de sexe, oral, qu'elle adore donner et recevoir, et anal, qu'elle n'a jamais essayé mais ce n'est pas faute d'en avoir envie.

– J'ai menti. Je le faisais dans mon dortoir, en silence, pour que Vicki n'entende pas.

Je l'ai portée dans la maison. Harrison nous a ouvert la porte, il l'a refermée, et il est parti aussi vite que possible, les joues écarlates. J'ai ramené Kennedy chez moi parce que je veux être là pour m'occuper d'elle si jamais elle vomissait. Pour lui tenir les cheveux, ce genre de truc. Cependant, Kennedy est loin d'être malade. Au contraire, elle est en pleine forme.

Elle lève la tête, se lèche les lèvres, et elle étudie mon corps avec un regard affamé.

– Et je pensais toujours à toi, conclut-elle.

Bon sang, je suis certain que c'est à ça que ressemble l'Enfer.

Elle remue dans mes bras et tend les jambes pour glisser le long de mon corps, écrasant sa poitrine sur mon torse, frottant ses hanches aux miennes.

– J'étais là, allongée dans mon lit, j'écartais les jambes, et…

Je couvre sa bouche avec la mienne pour la faire taire et je ne la relâche plus, parce qu'elle est trop délicieuse. Nous nous embrassons un long moment, puis je finis par rompre le baiser, avant de ne plus en être capable.

– J'ai tellement envie de toi, Brent.

Elle ne le pense pas. Pas vraiment. Elle est bourrée, je le sais. Ma bite, en revanche... elle n'en est pas si sûre.

– Fais-moi l'amour.

Sa voix est devenue plus grave et chaque syllabe réduit un peu plus mon self-control. Kennedy fait un pas en arrière et elle soutient mon regard en promenant ses doigts sur sa clavicule, puis ses seins, dessinant des cercles sur ses tétons qui pointent sous sa robe.

– S'il te plaît... fais-moi l'amour.

Je retrouve enfin ma voix.

– On ne peut pas, bébé, tu es bourrée.

Je prends sa main et je l'embrasse sur le front, sentant le parfum de son shampoing.

– Tu ne veux pas me faire l'amour ?

Change de sujet, vite ! C'est une question piège, il n'y a pas de bonne réponse.

– Tu es soûle. On ne peut pas faire l'amour maintenant, je dis en posant ma main sur sa joue.

Elle passe ses bras dans mon cou et elle soupire contre moi.

– D'accord. Dans ce cas, tu n'as qu'à me baiser.

Un petit gémissement m'échappe et je n'ai pas honte de l'avouer, car ce sont les paroles qui réduisent un mec en miettes et sa volonté en poussière. C'est une torture de dire ça alors qu'il ne peut pas baiser. Ce serait vraiment mal.

Génial et révolutionnaire, mais mal.

La concrétisation de quatorze ans de fantasmes sexuels, mais mal.

Le plus beau feu d'artifice de toute ma vie, mais mal.

Je répète le mantra dans ma tête pour être sûr de ne pas oublier, mais c'est dur. Tellement dur. Et les coups continuent d'arriver.

Kennedy passe son bras dans son dos et tire sur la fermeture Éclair de sa robe. Une seconde plus tard, le tissu soyeux tombe par terre, révélant sa peau de pêche parfaite. Ses seins sont nus et plus beaux que dans mes rêves les plus fous. Ses tétons d'un rose foncé supplient mes lèvres, mes dents, ma langue, de fondre sur eux.

Elle tourne les talons et part dans le couloir en se déhanchant gracieusement. Elle baisse son shorty beige et il tombe par terre à ses pieds, révélant des fesses luxurieuses en forme de cœur qui méritent d'être vénérées. Je crois que je gémis de nouveau, mais je ne peux pas en être sûr.

Elle commence à gravir les escaliers lentement et elle n'a pas besoin de regarder par-dessus son épaule ni d'appeler mon nom.

Car je suis derrière elle.

Je la suis à l'étage, jusqu'à ma chambre, et je ferme la porte derrière nous.

11

J'attends patiemment dans ma chaise longue, dans un coin, jambes tendues, en la regardant. Profitant de la vue alors qu'elle est étendue dans mon lit.

Sans signe avant-coureur, Kennedy s'assoit brusquement dans le lit, si vite que ses longs cheveux miel couvrent son visage. Elle soupire alors que son regard affolé balaye la pièce. Elle regarde sa poitrine, qui est couvert de mon tee-shirt noir Spider-Man qui m'a presque obligé à lui faire une clé de bras pour le lui mettre.

– Bonjour, chaton.

Elle me dévisage.

– Est-ce que tu as couché avec moi ?

Je tapote mes lèvres du bout du doigt, réfléchissant à sa question.

– Je n'arrive pas à décider si je suis plus offensé que tu penses que je pourrais coucher avec toi alors que tu étais ivre morte ou que tu croies que tu ne t'en souviendrais pas.

– Tu n'as pas répondu à ma question.

Je lève les yeux au ciel.

– Bien évidemment qu'on n'a pas couché ensemble. Et ce n'est pas faute de tentatives de ta part. Je me suis senti tellement chosifié ! Est-ce que tous les alcools ont cet effet sur toi ou est-ce que ce n'est que le scotch ?

Si c'est la deuxième solution, je vais immédiatement acheter des parts de marché.

Elle cache son visage dans ses mains et elle se laisse retomber dans le lit.

– Je hais ma vie. Je la déteste.

– Attends, je dis en regardant ma montre. Tu n'as pas entendu le meilleur. Trois, deux, un…

Mon téléphone sonne sur la table à côté de moi.

– Bonjour Maman, je réponds en décrochant.

Les nouvelles vont vite, surtout quand elles racontent que votre fils sort peut-être avec la fille que vous aviez décidé qu'il épouserait quand il avait trois ans.

Ma mère plonge immédiatement dans son interrogatoire.

– Oui, elle est là, je réponds en souriant à Kennedy, qui sort sa tête de ses mains et me regarde avec un air misérable.

– Non, Maman, on ne s'est pas enfuis pour se marier. Désolé de te décevoir.

Je couvre le micro avec ma main et j'annonce la mauvaise nouvelle à Kennedy.

– Ta mère te cherche.

Elle se couvre les yeux puis elle grogne quand elle entend la réponse que je fais à ma mère.

– Non, Kennedy n'est pas enceinte de moi. Du moins, pas que je sache.

Je reçois un oreiller dans la figure.

– Elle n'a pas officiellement refusé la proposition de Prince, j'explique à ma mère, mais ça a l'air mal parti, oui. Ah, une photo ? Je vais regarder ça. Oui, moi aussi je trouve qu'on forme un joli couple.

– Où est mon téléphone ? gémit Kennedy.

– Écoute, Maman, je dois y aller, d'accord ? Oui, je te rappelle plus tard. Non, on ne peut pas mettre ça dans la newsletter familiale. Je t'aime aussi. Bye.

Je raccroche en regardant Kennedy se traîner au bord du lit. Je penche la tête, essayant de revoir le paradis que j'ai aperçu hier soir.

Je me suis comporté comme un parfait gentleman, ça mérite bien une récompense, non ?

– Ma mère te passe le bonjour, au fait. Ton téléphone est dans ton sac à main, à côté du lit, mais ta mère a flingué la batterie en t'appelant non-stop hier soir.

Kennedy pose ses pieds par terre, elle retient son souffle, puis elle se lève lentement.

– Ils vont me renier.

– Est-ce que ce serait si grave ?

Elle se traîne à la chaise sur laquelle ses vêtements sont soigneusement pliés.

– Père a toujours voulu un garçon. Mère ne m'a jamais aimée. C'est le moment qu'ils ont attendu toute leur vie. Ils vont me déshériter.

Je me lève et je marche vers elle.

– Je te prêterai de l'argent. Avec de très beaux intérêts, c'est à ça que servent les amis.

Elle me regarde enfin dans les yeux, et elle a l'air si abattue que mon cœur se brise.

– Ma vie est un bordel sans nom, Brent.

Je coiffe ses cheveux en arrière.

– Si tu veux faire une omelette, il faut casser des œufs. Et toi, ma petite allumeuse, tu ne mérites que du gourmet. Tes parents vont s'en remettre. Tout va bien se passer, je te le promets.

◆◆◆

Avant de reconduire Kennedy chez elle, j'enlève mes vêtements de la veille et j'enfile un short de sport et un tee-shirt. Elle sort de ma voiture vêtue de mon jogging, et même avec une dizaine d'ourlets aux chevilles et à la taille, il lui est encore mille fois trop grand, c'est adorable.

Nous arrivons au pied de son perron lorsque David Prince sort d'un quatre-quatre noir aux vitres teintées. Il porte des lunettes de soleil et ses cheveux châtains sont parfaitement coiffés sur le côté et clairement laqués.

J'ai beau être agacé que cet enfoiré ne laisse même pas à Kennedy la matinée pour digérer, je suis ravi d'être là pour cet échange qui s'annonce croustillant. J'ai vraiment envie de la voir lui dire d'aller se faire foutre. Et si jamais elle n'est pas d'humeur à le faire, je ne manquerai pas de l'aider.

Je suis Kennedy dans un salon décoré avec goût, moi-même suivi de près par Prince. Ils se font face, à quelques mètres d'écart, et je m'installe près du canapé, assez loin pour les laisser se confronter mais suffisamment près pour intervenir si besoin.

Prince a l'air très mécontent, ce qui est normal, mais pas anéanti. Disons que le sourire qui orne les affiches qui couvrent tous les arrêts de bus de la ville est remplacé par une grimace boudeuse.

– C'est quoi ce bordel, Kennedy ? demande-t-il en jetant ses bras en l'air.

Elle prend sa posture de tribunal, épaules en arrière, menton levé, et se tient prête pour la bataille.

– Je pourrais te poser la même question, David.

– Tu m'as humilié, hier soir !

– Tu t'es humilié tout seul. Mais la pitié du public te fera remonter dans les sondages, et on sait tous les deux que c'est surtout ça qui t'inquiète. Si tu avais pris la peine de me demander ce que je voulais…

– Je croyais qu'on était sur la même longueur d'onde, dit-il en faisant un pas vers elle.

– Non, parce que si tu pensais ça, tu ne m'aurais pas prise en embuscade.

– C'était une surprise ! Une marque d'affection !

– Tu voulais capter l'attention des médias ! rétorque Kennedy. Nous savons tous les deux sur quoi repose cette relation. Je suis une femme ambitieuse qui fera jolie à côté de toi devant les journalistes, et toi…

– Oui, interrompt David, qu'est-ce que je suis, moi ?

– Tu es pratique. Tu es quelqu'un avec qui j'aime passer du temps mais à qui je ne tiens pas assez pour être anéantie par le fait que tu te tapes la stagiaire.

Il pâlit imperceptiblement et l'étudie en fermant légèrement les yeux. Il va pour lui prendre le bras, mais je suis plus rapide et je saisis son poignet.

– Si tu as besoin que ton poignet fonctionne, il va falloir que tu recules. Et que tu te calmes.

David baisse le bras et je le lâche. Il me regarde des pieds à la tête avant de rediriger son attention sur Kennedy.

– C'est par ça que tu m'as remplacé ? crache-t-il. Un estropié ?

Kennedy ouvre la bouche pour répondre alors que j'éclate de rire.

– Un estropié, David ? C'est tout ce que tu as trouvé ? Si tu dois insulter quelqu'un, aie au moins la décence de trouver une bonne insulte. Sinon, non seulement tu passes pour un connard, mais en plus, tu as l'air d'un gros débile. D'ailleurs, tant qu'on y est, va te faire foutre, espèce de parasite double face et suceur de sang.

David fait de son mieux pour m'ignorer et il regarde Kennedy avec une expression qui se veut persuasive, mais qui ne l'est pas.

– On est bien, ensemble, Kennedy.

– Pas assez, non, répond-elle en secouant la tête.

– On aurait pu aller jusqu'à la Maison-Blanche. On le pourrait encore.

Waouh, si ce n'est pas romantique… Est-ce que cet enfoiré veut une copine, ou bien une camarade de campagne ?

– Cette maison me va très bien, merci. C'est fini, David. Au revoir.

Cet imbécile lâche l'affaire et je suis tenté de dessiner un L sur mon front avec mes doigts pour indiquer que ce type est un loser, mais je me retiens parce que j'aurais l'air ringard. Il se tourne vers la porte, mais il n'a fait que deux pas quand il s'arrête pour regarder Kennedy.

– Je sais que tu n'as pas signé d'accord de confidentialité, mais si tu envisages un seul instant de parler à la presse…

– Tu es sérieux ? rétorque-t-elle. Je ne vais parler à personne. J'ai d'autres chats à fouetter, et laver ton linge sale en public n'en fait pas partie. Maintenant, dégage, ajoute-t-elle en désignant la porte.

Je l'aide en la lui ouvrant en grand.

– Bye bye, Dave.

Je la laisse claquer sur ses talons, puis je vais vers Kennedy en étirant mes bras au-dessus de ma tête.

– Eh ben, je me sens sacrément mieux maintenant que c'est réglé.

Je pensais qu'elle glousserait, ou du moins qu'elle sourirait. Or elle se laisse tomber dans le canapé, coudes sur les genoux, tête dans les mains.

Je m'agenouille devant elle et je promène mes mains sur ses mollets.

– Ça va, ma petite paillette ?

– Paillette ? répète-t-elle en levant la tête vers moi.

Je caresse son épaule et je lui montre les paillettes qui sont restées collées à sa peau après les célébrations d'hier soir.

– Je suis épuisée, répond-elle en m'offrant un minuscule sourire.

– Je n'en doute pas, je dis en me levant. Alors détends-toi. Prends un bain, fais une sieste, recharge tes batteries, et sois chez moi à dix-huit heures. Je te fais à manger.

– Brent..., prévient Kennedy.

– Je ne suis pas aussi doué en cuisine que Harrison, mais je me débrouille, je dis avant de soulever son menton pour la regarder dans les yeux. J'ai envie de te nourrir, Kennedy. Je veux te parler, et je veux t'embrasser pendant longtemps en sachant que tu t'en rappelleras le matin.

Soudain, la flamme se ravive dans ses superbes yeux.

– Alors on s'est embrassés, hier soir ? Je le savais ! s'exclame-t-elle en enfonçant son index dans ma cuisse.

– Techniquement, c'est toi qui m'as embrassé. D'ailleurs, tu m'as plutôt attaqué, mais je ne me plains pas.

Je me penche pour l'embrasser sur le front.

– J'ai juste envie de te renvoyer l'ascenseur.

Je marche à la porte avant qu'elle n'ait pu dire non, mais sa voix me parvient alors que j'ai la main sur la poignée.

– Qu'est-ce qu'on fait, là ? Qu'est-ce qu'il se passe entre nous, Brent ? demande-t-elle d'une voix curieuse.

– On recommence. C'est un nouveau départ.

– Mais le procès…

– On ne parlera pas du procès. On se comportera comme des adultes et il n'y aura aucun conflit d'intérêts.

– Peut-être que je n'ai pas envie de repartir de zéro, soupire-t-elle. Il y a tellement d'histoires entre nous, je ne sais pas si on peut prendre un nouveau départ.

– Dans ce cas, on en parlera ce soir, aussi. Dix-huit heures, poupée. Ne sois pas en retard.

◆◆◆

Je pars en direction du National Mall pour mon circuit préféré. Je me sens sur le point d'exploser alors que des décharges électriques parcourent tous mes nerfs. C'est similaire à la poussée d'adrénaline que je ressentais avant un match de lacrosse, mais c'est mille fois plus fort.

Deux heures plus tard, je passe la porte de chez moi et je trouve Harrison en train de faire la poussière du salon.

– Harrison, mon cher, je dis en jetant mes clés sur la table.

Il se tourne et me regarde d'un air à la fois curieux et surpris.

– Oui, Brent ?

– Tu sais, cette fille au pair suédoise qui habite en bas de la rue et pour qui tu as le béguin depuis six mois ? je demande en le prenant par les épaules.

– Jane ?

– Tout à fait. Ne me demande pas comment je le sais, mais ce soir est son jour de congé. Il est temps de mordre la vie à pleines dents, mon pote, je dis en fourrant trois billets de cent dollars dans sa main. Prends la voiture, emmène-la au resto, fais-lui passer une bonne soirée et, si tu as de la chance, prends une chambre d'hôtel. Si tu n'es pas chanceux, passe la nuit chez ton père. Quoi que tu fasses, ne rentre pas à la maison.

Il regarde l'argent dans sa main et fronce les sourcils.

– Je ne comprends pas.

– J'ai de la compagnie, ce soir.

C'est la première fois que je lui demande de se faire discret, alors que d'habitude je l'encourage plutôt à regarder.

– Kennedy vient à la maison et je lui prépare à dîner. Même si tu es toujours parfaitement discret, je veux qu'elle se sente à l'aise pour qu'on soit libres de parler de nos sentiments.

De parler… De se déshabiller… De casser les meubles, de cogner les murs, de profaner toutes les surfaces de la baraque. Peut-être que je m'avance trop, mais, comme disent les scouts, mieux vaut être préparé.

Harrison comprend et son regard s'illumine.

– Ah, maintenant, je vois. Je vais aller mettre une tenue plus appropriée pour rendre visite à Jane, dit-il en posant son plumeau.

– À l'attaque, mon grand ! je dis en le frappant dans le dos.

Soudain, son regard se remplit d'inquiétude.

– Est-ce que… est-ce que vous pensez que… qu'elle dira oui ?

Je frotte sa tête, ébouriffant ses cheveux comme le ferait un grand frère.

– Elle serait folle de dire non. Tu es un super bon parti.

Harrison sourit, apparemment détendu.

Ensemble, nous marchons aux escaliers et passons près de la cuisine.

– Voulez-vous que je prépare à dîner pour vous et mademoiselle Randolph avant de partir ?

– Non, je veux le faire moi-même.

– Très bien.

– Ah, juste une petite chose. Comment j'allume le four ?

◆◆◆

À dix-sept heures quinze, mon poulet au citron est prêt pour sa cuisson. Je l'enfourne à deux cents degrés, comme le dit la recette, et je file me doucher.

À dix-sept heures trente, je suis vêtu d'un jean et d'une chemise bleu marine.

À dix-sept heures quarante-cinq, la table est dressée avec des serviettes en tissu, des verres en cristal, des assiettes en porcelaine et des couverts en argent. Harrison serait fier de moi. Je tamise un peu la lumière et je mets la bouteille de vin blanc dans un seau de glaçons.

À dix-huit heures moins cinq, mon plat finit de cuire à feu doux sur la gazinière et j'espère qu'il est meilleur qu'il n'en a l'air. J'allume les bougies sur la table, je m'assois sur le canapé, et j'attends que Kennedy arrive.

À dix-huit heures quinze, j'attends toujours, mais comme je n'ai jamais rencontré de femme qui était à l'heure, je ne suis pas inquiet.

À dix-huit heures trente, j'allume la télé et je serre une balle antistress dans chaque main en faisant les cent pas. Je regarde et j'attends.

À dix-huit heures quarante-cinq, je me sers un verre de vin.

À dix-neuf heures, je prends le risque d'avoir l'air complètement pathétique et je compose le numéro de Kennedy. Je tombe sur sa boîte vocale et je ne laisse pas de message.

AFFAIRE NON CLASSÉE

À dix-neuf heures trente, j'en suis à mon deuxième verre, et j'éteins les bougies.

À vingt heures, je crois entendre quelqu'un à la porte, mais lorsque je vais vérifier, il n'y a personne.

À vingt et une heures, il commence à pleuvoir des cordes et des éclairs illuminent la nuit. Je m'allonge sur le canapé, bras plié sous la tête, jambes étendues, chemise ouverte.

Ce n'est qu'à vingt-deux heures que j'accepte enfin le fait que Kennedy ne viendra sans doute pas ce soir.

12

Lorsque je rouvre les yeux, je suis désorienté. Je ne sais pas quelle heure il est, ni depuis combien de temps je dors. Je réalise que je suis sur le canapé, qu'il fait toujours nuit et qu'il pleut des cordes, et alors que je me souviens peu à peu du lapin que m'a posé Kennedy, je comprends ce qui m'a réveillé.

Quelqu'un a frappé à la porte.

Je vais ouvrir et j'arrive juste à temps pour voir une petite tête blonde descendre les marches du perron.

– Kennedy ?

Elle s'arrête puis se tourne lentement vers moi. Elle est trempée, son jean colle aux courbes de ses jambes, les manches de son pull à rayures bleues et blanches sont collées à ses bras, ses cheveux sont aplatis sur sa tête et ses lèvres sont légèrement bleuies.

– Je n'allais pas venir, déclare-t-elle.

– Ouais, je l'ai plus ou moins compris, je réponds en ouvrant plus grand la porte. Viens, entre.

Elle fait soudain un pas en arrière.

– Je ne sais pas pourquoi je suis là, dit-elle d'une voix confuse et paniquée.

– À l'évidence, tu me trouves irrésistible.

Le vent souffle et projette des gouttes d'eau glacée qui transpercent ma chemise.

– Tu frissonnes, ma belle, viens à l'intérieur.

Elle me dévisage comme un chaton apeuré qui n'arrive pas à décider s'il doit laisser l'étranger le caresser ou grimper tout en haut de l'arbre le plus proche, et ça me fend le cœur.

– Je crois que je ne peux pas, murmure-t-elle.

La pluie est froide et piquante et elle trempe ma chemise. Kennedy regarde le trottoir, mon torse, mes yeux, puis de nouveau la rue, comme si elle était prête à prendre ses jambes à son cou. Or elle reste là. Alors je vais à elle, m'approchant pour qu'elle m'entende en dépit du déluge.

– Tu te souviens quand j'ai réappris à faire du vélo ?

– Oui, je me souviens, répond-elle en souriant timidement.

– On n'avait que ton vélo de fille, alors tu t'es assise sur le guidon pendant que j'ai pédalé ?

Elle hoche la tête.

– Un jour, j'allais trop vite et on a heurté un caillou, on a tous les deux fait un soleil. Je ne voulais plus faire de vélo après ça, parce que j'avais peur que tu te blesses. Tu te souviens de ce que tu m'as dit ?

Elle me regarde droit dans les yeux.

– J'ai dit… qu'il fallait qu'on continue… parce que s'il n'y a pas de balade, les chutes n'ont aucun intérêt.

Je hoche la tête en la regardant tendrement.

– Je ne vais pas nous laisser tomber, cette fois-ci, Kennedy.

– Je ne sais pas…

– Tout ce que tu as à faire, c'est prendre ma main.

Comme je le disais, on ne connaît jamais vraiment quelqu'un intimement. En la voyant au tribunal, on ne se doute pas qu'une personne aussi superbement féroce que Kennedy renferme un être aussi fragile et délicat. Or son hésitation n'est pas un signe de faiblesse – le fait qu'elle est là devant moi prouve justement combien elle est forte –, c'est simplement son instinct qui lui dit d'être prudente.

Nous évitons tous les choses qui nous font du mal ou qui nous ont blessés par le passé. C'est à ça que servent les cicatrices. Elles protègent nos blessures avec un tissu épais et insensible afin qu'on ne ressente plus de douleur. Or les cicatrices que porte Kennedy à l'intérieur d'elle-même sont bien plus dures que le moignon de ma jambe.

– S'il te plaît, entre, je dis alors qu'elle continue de dévisager ma main.

Lentement, prudemment, sa petite main glisse dans la mienne, et nous rentrons à l'abri.

◆◆◆

Kennedy claque des dents, assise sur mon lit. Je l'enveloppe dans un plaid et je frotte ses bras avant de prendre ses mains pour les réchauffer.

– Bon sang, tu es gelée. Combien de temps es-tu restée dehors ?

– Je ne sais pas, un moment. Je marchais, je… réfléchissais.

– Ta famille possède plus d'argent que la plupart des gouvernements de petits pays. La prochaine fois que tu vas te balader, arrête-toi pour t'acheter un parapluie, tu veux ?

Kennedy frissonne en riant et je resserre la couverture autour d'elle.

– Rien ne se passe comme je l'avais imaginé, dit-elle d'une voix douce.

– Moi non plus. Je pensais que je serais en train *d'enlever* tes vêtements et pas de t'emballer comme un burrito.

J'obtiens un nouveau rire.

– Je veux dire de revenir ici, de te revoir… je pensais que ce serait complètement différent.

Je frotte son dos pour la réchauffer.

– Comment ça ?

– Je savais qu'on se croiserait tôt ou tard, mais quand j'ai vu ton nom sur le dossier Longhorn, j'ai pensé que c'était le destin qui m'offrait l'occasion de me venger. Je pensais que tu serais renversé par mon nouveau look, que tu serais sous mon charme…

Là-dessus, elle ne s'est pas trompée.

– … je me suis vue flirter avec toi, m'amuser avec toi – pour te briser le cœur. Tu allais être anéanti. Et moi, j'allais rire devant ton pauvre petit cœur brisé en mille morceaux.

– Eh bien, tu ne serais pas un peu rancunière, toi ?

Elle regarde le plafond quelques secondes et elle secoue lentement la tête.

– Parfois, dans certaines de mes affaires, j'ai envie de punir les gens qui ont fait du mal aux victimes que je défends. Mais toi… tu es resté toi. Et quand je t'ai vu… j'ai ressenti la même chose qu'il y a toutes ces années, avant le bal de promo, avant que j'aille à ton dortoir ce matin-là. Je me suis revue à dix-sept ans, espérant simplement que…

Elle s'interrompt et ma poitrine se contracte avec ce mélange exquis d'excitation et de trépidation. Cette sensation unique que vous avez quand vous désirez quelque chose avec toutes les cellules de votre corps, alors qu'un nuage noir vous fait craindre de ne jamais l'atteindre. Vous redoutez qu'il ne vous reste que le souvenir de ce qui aurait pu être.

– Tu comprends ce que je veux dire, Brent ?

– Oui, absolument.

Je porte ses mains à ma bouche et je souffle dessus alors qu'un nouveau frisson parcourt son corps.

– Il faut t'enlever ces vêtements mouillés, je dis calmement et sans aucun sous-entendu.

Je sens que nous sommes au bord d'un précipice, et que je dois faire très attention, car le moindre faux mouvement pourrait faire fuir Kennedy, et peut-être à jamais, cette fois-ci.

Il règne un silence de plomb dans la chambre. J'enlève ma chemise trempée et je la laisse tomber par terre. Alors que son corps se crispe, ses yeux se promènent sur mes épaules, puis sur les courbes et les bosses dorées de mon torse. Face à elle, je déboutonne lentement mon jean, puis je le baisse et je le laisse glisser sur mes hanches. J'enlève une jambe, et je m'appuie sur le lit pour le passer sur ma prothèse, me laissant en boxer noir. Ses grands yeux marron suivent tous mes gestes, et elle regarde mon visage, attendant.

Une fois libéré du froid et de mes vêtements mouillés, ma peau me semble tout à coup brûlante.

J'enlève d'abord la couverture de ses épaules. Je saisis ensuite le bas de son pull et je le remonte, prenant note du moindre carré de sa peau crémeuse. Elle lève les bras et je le passe par-dessus sa tête, puis je le jette à côté de mon jean trempé. Je l'ai vue nue hier soir, mais c'était différent, je ne pouvais pas profiter de la vue car j'essayais trop de *ne pas* la regarder.

Or maintenant, je regarde.

Et bon sang, que la vue est belle.

Ses seins fermes et ronds sont emprisonnés sous une dentelle blanche et ses tétons mauves et tendus me narguent. Sa clavicule est fragile, ses épaules et ses bras sont musclés. Son ventre est plat et on aperçoit tout juste ses abdos. Je mords l'intérieur de ma joue, parce que j'ai trop envie de promener ma langue dessus et de la mordiller jusqu'à la faire gémir.

Ma poitrine se soulève aussi vite que la sienne alors que je m'agenouille devant elle et que je défais le bouton de son jean. Je sens ses yeux noisette m'appeler, comme une bougie qu'on aurait laissé allumée sur le rebord d'une fenêtre pour indiquer le chemin de la maison. Elle soulève son bassin et j'effleure sa peau lisse en baissant son pantalon, la laissant dans un tanga en dentelle blanche. Ses jambes sont merveilleusement sculptées et elles ont la longueur parfaite pour passer autour de ma taille, de mes épaules… de mon cou.

Je me lève pour admirer de nouveau la femme qui est assise devant moi, perchée sur le bord de mon lit.

– Mets-toi sous la couverture, je chuchote.

Kennedy s'installe au milieu de mon lit, la tête sur l'oreiller, et je m'assois au bord pour enlever ma prothèse, puis je me tourne pour me glisser sous la couette à ses côtés. Sans un mot, elle se blottit contre moi. Sa peau froide me fait d'abord l'effet d'une décharge électrique, mais elle se réchauffe vite au contact de la mienne.

À l'exception de ses pieds, qui me font sursauter lorsqu'elle caresse mon mollet avec.

– Bon sang, quel glaçon !

Elle éclate d'un rire légèrement machiavélique.

Nous sommes face à face, presque nez à nez. Des gouttes d'eau ruissellent encore de ses cheveux sur son cou, puis sur sa poitrine, et je dois me retenir de les lécher.

– Parle-moi, dit-elle. Est-ce que... tu vois encore des gens du lycée ?

– Non.

– Parle-moi de tes amis, de tes associés. Ils sont comment ?

Il est vrai qu'on peut en apprendre beaucoup d'une personne en regardant ses fréquentations. Les enfoirés ont tendance à s'attrouper, ce qui rend leur image pire ou meilleure, selon les circonstances.

– Stanton est un mec génial. Il est solide. Il essaie toujours de faire ce qui est bien – c'est très important pour lui –, mais parfois il se met lui-même des bâtons dans les roues. Par contre, c'est le genre de mec qu'on peut appeler à deux heures du matin parce qu'on a crevé au beau milieu d'un blizzard. Il n'hésiterait pas une seconde à enfiler ses bottes et à venir te chercher.

Je vois le sourire de Kennedy dans la pénombre.

– Sofia a trois grands frères, donc elle ne se laisse pas faire facilement. Cependant, elle cache une certaine fragilité, ou plutôt une douceur intérieure. Elle est passionnée, drôle... elle est un peu la grande sœur que je n'ai jamais eue.

Kennedy promène ses mains sur mes biceps. C'est d'abord hésitant, puis plus affirmé.

– Et Jake... tu vas l'adorer. Il est super méchant.

– Méchant ? répète-t-elle en riant.

– Oui. Il a l'air d'un dur à cuire, et il l'est, mais c'est seulement parce qu'il ne veut pas que les gens voient à quel point il tient à eux. Il remarque tout, dans le moindre détail. Et il commettrait joyeusement un meurtre pour les gens qu'il aime.

– Ils ont l'air d'être de très bons amis.

– Ouais, ils sont géniaux. J'ai beaucoup de chance.

Nous restons silencieux quelques minutes et les battements de mon cœur accélèrent tandis qu'elle continue de caresser mon bras.

– Brent ? chuchote-t-elle, comme si elle voulait savoir si je dors.

– Hmm ?

– Tu… tu m'as tellement… manqué.

Waouh. Le besoin de l'embrasser et de la toucher qui me tiraille depuis que je l'ai vue sur mon perron l'emporte avec ces quelques mots. Je presse mes lèvres contre les siennes et elle fond contre moi en soupirant tandis que nos bouches fusionnent. Je pose ma main sur sa joue, et elle ouvre la bouche pour accueillir ma langue. Le baiser est dingue, à la fois doux et familier.

J'ai l'impression d'avoir de nouveau dix-sept ans et d'être dans la Ferrari de mon père. Une excitation brûlante parcourt mes veines avec chaque battement de mon cœur. Je meurs d'envie de la toucher partout à la fois, tout en voulant savourer chaque seconde de ce moment.

Soudain, je comprends pourquoi ce que j'ai ressenti à l'époque était si puissant. Ce n'était pas parce que j'étais un ado obsédé qui ne pouvait pas attendre de tirer un coup.

C'était *elle*.

Cette fille sublime, adorable et forte. Cela fait longtemps qu'elle m'a capturé. Elle s'est glissée sous ma peau, dans mon cœur, et elle y a toujours été. Mais elle est là, maintenant, dans mon lit. Sa peau bout d'excitation, ses doigts agrippent mes épaules et ses dents mordillent mes lèvres d'une manière qui me fait presque perdre la tête.

Sans rompre le contact avec sa bouche, je me redresse sur un coude afin de la dominer. Son ventre se contracte sous la paume de ma main lorsqu'elle s'y promène avant de se poser sur son sein. Il loge parfaitement dans ma main, et lorsque je le serre, Kennedy gémit et suce plus fort ma langue, me montrant combien elle aime ce que je fais.

Ma main dessine un cercle lent autour de la pointe dure de son téton. Elle gémit de nouveau dans ma bouche en se cambrant, et j'étale de petits baisers le long de sa joue, jusque sur son cou, où je sens battre son pouls. Je suce sa peau, qui goutte des restes de pluie et de transpiration, m'enivrant de son parfum unique.

Elle respire fort et ses mains se baladent partout, dans mes cheveux, sur mon dos, palpant les muscles de mes épaules et de mes bras. Ma langue trace un chemin jusqu'à son oreille que je mordille, tandis que ma main rebrousse chemin. Elle redescend sur son ventre jusqu'à son bassin qui se soulève pour chercher une friction – en vain.

C'est justement ce dont je vais m'occuper maintenant.

– Est-ce que ça va ? je demande lorsque ma main s'installe entre ses jambes, sur son tanga.

– Oui.

Quel mot magique.

J'appuie sur son ouverture avec mes doigts, la laissant imaginer à quel point ce sera bon lorsqu'ils plongeront en elle. Un bruit affolé lui échappe alors que son bassin tourne sous ma main, me suppliant de continuer.

– Qu'est-ce que tu veux que je fasse, Kennedy ?

Je fais des allers-retours avec ma main, la titillant, l'excitant davantage.

– Touche-moi, susurre-t-elle.

Elle tire mes cheveux et ramène ma bouche sur la sienne. Sa langue me cherche et me dévore de façon frénétique alors que je sens son clitoris sous la soie de son tanga, gonflé, priant d'être enfin soulagé.

– Plus, chuchote-t-elle. S'il te plaît, touche-moi *plus fort.*

Je remonte ma main sur son ventre, puis je la glisse sous la soie, et cela m'excite à n'en plus finir. Un instant plus tard, c'est moi qui gémis, les yeux fermés, envoûté par la sensation de sa peau douce et lisse contre ma main. Bon sang, elle mouille tellement, et elle est tellement brûlante et parfaite. J'ai envie de plonger ma langue en elle et de la sentir se contracter autour de moi.

Je glisse deux doigts entre ses lèvres gonflées, mais je ne la pénètre pas encore. Je dessine de grands cercles autour de son clito et elle écarte encore davantage ses jambes.

– Comme ça ? je me moque.

Elle ouvre la bouche pour gémir, puis elle retourne aussitôt la situation contre moi en plongeant la main dans mon boxer. Elle empoigne ma queue en exerçant juste assez de pression pour que je n'aie pas mal, puis elle remonte sa main en tournant son poignet. Ma tête me paraît soudain légère, enivrée par son toucher.

Kennedy appuie sa tête dans l'oreiller, s'éloignant de ma bouche, et j'ouvre les yeux pour la regarder.

– Comme ça ? imite-t-elle d'un ton moqueur.

Son pouce couvre la pointe de mon gland pour étaler mon liquide pré-séminal sur la paume de sa main, mais elle ne recommence pas à me branler, parce qu'elle attend ma réponse.

– Plus vite, je gémis en souriant.

Elle n'hésite pas une seconde et sa main lubrifiée reprend ses allers-retours. Je lève les yeux au ciel, fou de désir, mais je parviens à rester concentré sur Kennedy, attendant sa réponse.

– Plus profond, ordonne-t-elle.

Je plonge immédiatement deux doigts en elle et un grognement m'échappe, parce que sa chatte est un paradis chaud et mouillé. Ses muscles serrent mes doigts et je la fouille au même rythme qu'elle me branle. Mon pouce trouve son clitoris et elle soulève son bassin tout en reculant sa tête dans l'oreiller. Je l'embrasse de nouveau, parce que lorsqu'elle jouira – et j'ai l'impression qu'elle n'est pas loin –, je veux avaler ses cris.

J'avance mon bassin dans sa main alors que je plonge ma langue dans sa bouche chaude. Je sens mes couilles se resserrer et des frissons parcourent ma colonne vertébrale pendant que mon bas-ventre se contracte. Bon sang, je vais jouir tellement fort, mais je veux qu'elle jouisse en même temps. Je veux qu'on atteigne le nirvana ensemble pour qu'on ne forme plus qu'une seule masse tremblante de plaisir.

Soudain, la chatte de Kennedy se referme sur mes doigts avec des pulsations rapides. Elle jouit en criant dans ma bouche et je me joins à elle avec un long grognement. Des vagues de plaisir déferlent dans mes veines alors que je pulse dans sa main et me déverse sur son ventre.

Nous restons l'un contre l'autre pendant plusieurs secondes, pantelants, et des lumières blanches dansent devant mes yeux. Kennedy pousse un soupir de contentement en appuyant son visage contre mon bras et je baisse la tête pour l'embrasser tendrement.

J'adorerais étaler mon sperme sur elle pour que sa peau l'absorbe, mais je suppose qu'il est trop tôt pour ça, donc je prends mes béquilles et je vais dans la salle de bain pour prendre un gant. Je le passe sous l'eau chaude et je reviens pour essuyer son ventre. Elle suit mon geste avec un regard voilé de plaisir et un sourire satisfait, et elle rit lorsque mes mains chatouillent sa poitrine.

Je jette le gant par terre et je m'effondre à côté d'elle. Elle se dépêche de se blottir dans mes bras, et nous nous endormons tous les deux.

◆◆◆

Quelques heures plus tard, la lumière grise de l'aube traverse tout juste les rideaux lorsque j'ouvre les yeux et que je vois Kennedy, debout au milieu de ma chambre, remuant les fesses pour remettre son jean mouillé.

Il faut quelques minutes à ma bouche pour recevoir le message de mon cerveau.

– Qu'est-ce que tu fais ?

Elle se tourne brusquement vers moi, comme si elle ne s'attendait pas à ce que je me réveille.

– Il faut que je rentre. Je dois me doucher et me préparer pour le tribunal.

– Ok, je réponds en bâillant. Je te ramène.

– Non, ne t'en fais pas. Un taxi sera plus rapide.

Aaah, alors la Kennedy douce et câline est partie, laissant sa place à la Kennedy braquée et piquante comme un cactus.

Bon sang.

– Tu veux des vêtements secs ? je demande lorsqu'elle ramasse son pull trempé. Tu n'es pas obligée de…

– Non, merci, dit-elle en le passant par-dessus la tête. Des vêtements mouillés ne vont pas me tuer.

Je m'assois dans le lit, parfaitement réveillé, à présent.

– Kennedy, j'annonce sèchement.

Elle s'immobilise comme une biche prise dans les phares d'une voiture, et elle me regarde comme si j'étais le chauffeur.

– Il faut qu'on parle d'hier soir, je lui dis.

– Disons qu'on l'a fait, mais ne le faisons pas, répond-elle.

Elle tourne les talons et elle sort de ma chambre.

– Je suis ravi qu'on ait décidé de se comporter comme des adultes ! Ça fonctionne à merveille ! je crie après elle.

Je n'ai pour réponse que le bruit de ma porte d'entrée claquant derrière elle. Je me laisse retomber sur le dos et je prends un oreiller pour couvrir mon visage, essayant d'étouffer la frustration provoquée par Kennedy Randolph.

Ça ne marche pas.

Apparemment, ce sera un pas en avant, deux pas en arrière.

Super.

13

Je passe le reste du petit matin à penser à Kennedy. Occasionnellement, comme durant ma longue douche classée X, je pense à elle dans son petit ensemble de dentelle blanche.

Cela dit, pour être tout à fait honnête, je l'imagine plutôt *sans*.

En réalité, je pense surtout à *elle*. À sa façon d'être. Le temps d'arriver au tribunal, j'ai conclu qu'à l'évidence Kennedy a des problèmes. Des soucis profondément ancrés qui vont être sacrément difficiles à surmonter.

Toutefois, cela ne me fait pas peur. Je vais chez le psy depuis vingt ans, alors si quelqu'un s'y connaît en problèmes, c'est moi. D'ailleurs, ce n'est qu'une preuve de plus que nous sommes parfaits l'un pour l'autre. Nous sommes des âmes sœurs, destinées à être ensemble.

Kennedy ne le voit pas encore, mais peu importe, parce que je suis patient – et opiniâtre. Lorsque j'ai décidé quelque chose, plus rien ne peut m'arrêter.

Et j'ai décidé d'être avec Kennedy.

J'ai envie de la comprendre, d'apprendre tout ce qu'il y a à savoir sur elle – ses courbes douces, ses bords pointus, son ombre, les choses qu'elle cherche à y cacher. Je veux enfoncer ses portes et grimper à sa tour d'ivoire. Je veux tuer tous ses dragons.

Elle ne va sans doute pas l'apprécier, au début, mais elle finira par m'accueillir à bras ouverts. Ce sera génial.

◆◆◆

Lorsque j'arrive dans la salle d'audience, Kennedy n'y est pas. Je m'assois à la table de la défense, une main sur l'épaule de Justin, et je le tiens au courant de la stratégie de la journée, lui assurant que je gère et que tout va bien se passer. Je crois que je suis le dernier adulte dans sa vie qui s'inquiète de ce qu'il lui arrive. Pour l'instant, son père ou sa mère n'est pas arrivé.

Cinq minutes avant l'heure du début de la séance, je la sens. Je sais que c'est cucul et absurde, mais c'est vrai. L'air se charge d'électricité et je regarde vers la porte. Lorsqu'elle s'y présente, je suis soudain incapable de respirer. Sa veste de tailleur est rouge bordeaux, sombre comme le lie-de-vin, avec un col haut et une coupe court sur la taille. La jupe assortie s'arrête juste au-dessus de son genou, et des collants noirs transparents guident mon œil jusqu'à ses talons aiguilles de dix centimètres. Ses jambes sont incroyables. Aux yeux de n'importe qui, Kennedy est vêtue de manière professionnelle. Mais pour moi qui connais toutes les courbes qu'elle recouvre, elle est aussi érotique, voire davantage, qu'un ensemble de lapin à la *Playboy*.

Ses sous-vêtements sont-ils noirs ? Rouges ? En dentelle, ou en soie ? Ma bite tressaille lorsque j'envisage le fait qu'elle n'en porte peut-être pas du tout. *Encore mieux.*

Kennedy entre dans la salle, comme une reine qui marche vers son trône. Ses longs cheveux sont attachés dans un chignon bas, et une mèche rebelle effleure son oreille. Je me souviens combien ce point était succulent, hier soir. Comme un fruit bien mûr.

Elle m'accorde un regard avant de s'installer à sa table. Si son expression est sérieuse, son regard est plein de désir et d'indifférence, d'affection et d'excitation. Elle a l'air perdue. Ma poitrine se resserre alors que mon cœur veut la protéger, l'encourager, lui promettre que tout ira bien. En tout cas, je vais tout faire pour.

Je lui offre un sourire rassurant et je crois voir une lueur de soulagement dans ses traits. Elle hoche formellement la tête, puis elle se tourne vers son bureau.

Le juge ouvre la séance et passe en revue les arguments préliminaires. Notre chère madame Potter est rappelée à la barre, je me lève en boutonnant la veste de mon costume gris charbon, et je poursuis mon interrogatoire en me demandant si les choses seront différentes entre Kennedy et moi, au tribunal. Si elle va être différente – plus gentille, plus douce, plus… amicale.

Je suis en train de poser ma deuxième question à madame Potter lorsque Kennedy se lève brusquement.

Objection !

Bon. J'ai ma réponse.

◆◆◆

Le juge vient à peine de frapper son marteau pour lever la séance que j'entends les talons aiguilles de Kennedy sur le sol en marbre. Elle empoigne son attaché-case et elle file vers la porte. Je la suis des yeux, mais je reste pour proposer à Justin de le ramener chez lui car aucun de ses parents n'a daigné se pointer à l'audience.

Une heure et demie plus tard, Harrison me dépose devant le tribunal de grande instance où se situe l'administration de Kennedy. Je gravis les marches deux par deux et je file à son bureau, dont la porte est fermée. Sa secrétaire me dit qu'elle est en réunion et, lorsque je regarde par sa fenêtre, je devine que c'est une réunion importante, à voir les visages sérieux des quatre types en costard qui sont avec elle.

– Je vais attendre, je dis à la secrétaire.

Je *déteste* attendre, surtout quand j'ai une bonne correction à infliger, et oui, je parle bien de fessée. Je m'assois dans la chaise vide devant la porte de Kennedy, tête appuyée contre le mur, mon genou gigotant nerveusement.

Au bout d'une éternité, sa porte s'ouvre et la parade d'hommes émerge. Le dernier à sortir, un homme costaud et grisonnant, hoche la tête en passant devant elle.

– On refait vite un point, Kennedy.

– Oui, tenez-moi au courant, répond-elle avec un visage fermé.

J'attends que le dernier homme ait disparu à l'angle du couloir, et j'entre dans son bureau, fermant la porte derrière moi. Elle est assise, les yeux rivés sur un dossier, comme si elle essayait d'y mettre le feu.

Je ferme la porte à clé, puis je baisse les stores, nous cachant de l'extérieur. Si Kennedy saisit ce que je fais, elle ne le montre pas.

– Pourquoi cet air si sérieux ? je demande à la manière du Joker dans *Batman*.

Kennedy soupire sans quitter le dossier des yeux.

– Mon affaire de mafia de Vegas vient d'être rejetée en appel. Mariotti s'est dégoté un nouveau procès.

– Tu vas reprendre l'affaire ?

– Bien sûr. Cet enfoiré mérite de passer le reste de sa vie dans un trou froid et sombre, et c'est moi qui vais l'y mettre.

Je siffle longuement pour montrer combien je suis impressionné.

– Je ne sais pas si je te l'ai déjà dit, mais ton côté rancunier est vraiment sexy.

Elle ne rit pas, elle ne sourit même pas.

– Je n'ai vraiment pas le temps de parler maintenant.

– Ouais... je n'en ai pas trop envie, moi non plus. Mais...

Je la surprends en tirant sa chaise à roulettes pour la tourner vers moi, et en appuyant mes mains sur les accoudoirs, la bloquant à sa place.

Pendant une fraction de seconde, je suis distrait par la manière dont sa poitrine se soulève et ses yeux s'ouvrent en grand. Sa bouche s'ouvre juste assez pour que j'y passe ma langue et je me dis que ma queue aurait besoin qu'elle l'ouvre davantage.

– *Mais*, qu'on veuille parler ou pas, il semblerait que j'aie besoin d'établir quelques règles de base, je dis d'une voix qui est aussi ferme que ma bite. Premièrement, tu ne sors pas un seul orteil de mon lit sans m'avoir réveillé au préalable. *Jamais*.

Je me penche pour promener mon nez dans son cou, puis ma langue prend le relai jusque sur son pouls, que je suce assez fort pour laisser une marque. C'est le prix qu'elle doit payer.

– Je me suis branlé deux fois dans la douche, je susurre dans le creux de son cou. Et j'étais quand même dur comme fer en te voyant au tribunal.

Elle gémit discrètement, mais je n'ai pas encore fini.

– Je te jure que je pouvais encore te sentir sur mes doigts. Ça m'a rendu dingue toute la journée.

Je penche la tête en arrière et je la regarde dans les yeux. Son regard est brûlant et merveilleusement excité.

– Arrête de me regarder comme ça, j'aboie.

– Comme quoi ?

– Comme si tu voulais que je t'embrasse. Je ne vais pas t'embrasser, Kennedy. Je suis en colère.

Elle gigote sur sa chaise et frotte ses cuisses l'une contre l'autre alors que ses yeux regardent ma bouche. Je me retiens de grogner, parce qu'apparemment elle *aime* que je sois en colère contre elle. *Doux Jésus*, ça pourrait être follement amusant.

Toutefois, je parviens à rester concentré.

– Deuxièmement, on *discute*. Pas du procès, mais de tout le reste. On arrête de s'enfuir.

Sa gorge se contracte lorsqu'elle déglutit, et j'entends presque son cœur battre. Cela dit, peut-être est-ce le mien.

– Troisièmement, on prend cette histoire un jour après l'autre. Tu as la trouille et il y a un passif énorme entre nous, je comprends. Je ne te demanderai pas plus que ce que tu peux me donner.

Elle fronce les sourcils.

– Brent, je ne crois pas…

– Justement, tu dis beaucoup ça. Tu as l'air confuse, donc je vais simplifier les choses. Quatrièmement, je viens chez toi ce soir. J'apporte à manger. On va traîner ensemble. Si par chance on passe une bonne partie de la soirée sans vêtements, je ne me plaindrai pas. Maintenant, dis oui.

Elle reste silencieuse quelques secondes pendant que je retiens ma respiration.

– Oui, dit-elle enfin.

– C'est bien.

Elle m'étudie d'un air agacé, et je suis tellement satisfait et frustré depuis ce matin que je ravale mes mots et que je me jette sur sa bouche. Je l'embrasse fougueusement, de manière passionnée et possessive. Nos dents s'entrechoquent, nos langues se chamaillent et je n'arrête que lorsqu'elle est tremblante.

Je crois vraiment que tout est dans la sortie : lors des conclusions finales, la dernière image que vous laissez aux jurés, les derniers mots qui résonneront dans leurs oreilles sont les plus puissants. Cela peut faire la différence entre une sentence à vie et une annulation de peine. Ce baiser était une sacrée conclusion finale, donc je me lève, je tourne les talons, et je sors de son bureau.

◆◆◆

Le soleil va commencer à décliner et je suis sur le porche branlant de sa maison victorienne. Je frappe à sa porte, qui s'ouvre presque immédiatement, comme si elle m'attendait. Elle est illuminée par le soleil couchant, vêtue d'un simple jean bleu clair qui moule ses hanches et son cul de façon fabuleuse. Elle porte un débardeur en dentelle, à fines bretelles, avec un col en V qui met parfaitement en lumière ses seins sans soutif.

J'ai l'eau à la bouche et mon imagination s'emballe.

– Je vais envoyer un mot de remerciement au juge Bradshaw, je marmonne.

Elle glousse et je la sens inspecter mon jean délavé et mon tee-shirt noir, s'arrêtant sur mes biceps musclés.

– Tu n'es pas mal non plus, tu sais.

Miaou.

Derrière les jambes de Kennedy, je vois deux grands yeux noirs accompagnés d'une boule de poils grise. Les chats ne sont pas mes animaux préférés, ils arrivent après les chiens, les cochons, et la créature la plus mignonne qui soit, le hérisson. Cependant, contrairement à mon compagnon de chambre de première année, qui est peut-être devenu un serial killer et qui essayait d'écraser tous les chats qui croisaient sa route, je ne les déteste pas non plus.

– Qui est-ce ?

– Lui, c'est Jasper.

Miaou.

Je me baisse et je tends la main.

– Salut Jasper…

– Brent, attends…

Je n'ai pas le temps de réagir que les yeux de Jasper se rétrécissent et que sa patte se déchaîne sur ma main comme Wolverine quand il est de mauvaise humeur.

– Saleté de vampire !

– Je suis tellement désolée, dit Kennedy.

Je secoue la main et je suce la pointe de mon majeur ensanglanté.

– Je déteste avoir à te dire ça, mais ton chat est un psychopathe.

Elle prend ma main et inspecte ma blessure.

– Il est juste méfiant des gens qu'il ne connaît pas. Comme un chat de garde, dit-elle en regardant derrière elle. Jacob et Edward sont beaucoup plus aimables.

– Combien tu en as ?

– Juste trois, répond-elle en haussant les épaules.

Je hoche lentement la tête.

– Je suis revenu dans ta vie pile à temps, apparemment. Une vieille maison, de nombreux compagnons félins, un intérêt inapproprié pour des romans sur les vampires qui sont écrits pour des adolescentes vierges… tu étais à deux doigts d'incarner la vieille fille typique.

Elle me tire la langue.

– Refais ça plus tard, je dis en souriant. Je te montrerai de meilleurs usages pour cette langue.

Elle éclate de rire et elle secoue la tête, apparemment, elle pense que je plaisante.

– Très bien, allez, on y va. On a une petite trotte devant nous.

– Je croyais que tu apportais la nourriture ?

– Oui, mais je n'ai pas dit qu'on la mangeait ici.

Je lui tends la main et elle m'offre la sienne, qui est chaude, douce et parfaite pour la mienne.

– Où va-t-on ?

Je me penche pour chuchoter à son oreille et la sentir tressaillir :

– C'est une surprise.

◆◆◆

Nous marchons main dans la main dans la ville, sous le ciel orangé. Nous passons devant le National World War II Memorial[6] et le ReflectingPool[7], qui est en face du Lincoln Memorial[8], zigzaguant parmi les flashs des appareils photo des touristes. Nous arrivons ensuite au Tidal Basin[9], où l'eau calme reflète la lumière douce des lampadaires bordant le chemin qui longe la berge. Au printemps, les cerisiers sont couverts de fleurs et forment une couronne rose autour de l'eau, mais à cette époque de l'année les fleurs sont déjà tombées.

---

6. Mémorial national de la Seconde Guerre mondiale.
7. Le plus grand miroir d'eau de Washington.
8. Grand bâtiment de marbre blanc en forme de temple grec qui abrite une grande statue d'Abraham Lincoln.
9. Bras de rivière partiellement aménagé par l'homme en bassin, adjacent à la rivière Potomac.

Je conduis Kennedy au bord de l'eau, où une couverture nous attend sur l'herbe avec quatre lanternes allumées aux quatre coins. Les buissons environnants nous cachent du chemin et du reste de la ville et donnent l'impression que nous sommes perdus en campagne. Au milieu du plaid à carreaux rouges et blancs se trouvent une bouteille de vin blanc dans un seau de glaçons et deux paniers à pique-nique – l'un contenant les couverts, les assiettes et les serviettes, tandis que l'autre est matelassé afin de garder au chaud le chinois à emporter que j'ai acheté. Comme je ne savais pas ce qu'elle aimerait, j'ai commandé un peu de tout.

Kennedy s'arrête pour observer la scène. La lumière des lanternes illumine ses yeux, et son sourire est si radieux que j'en ai le souffle coupé.

– C'est... magnifique, Brent. Merci.

– Ce sourire est tout le remerciement dont j'ai besoin, je dis en caressant sa lèvre inférieure avec mon pouce. Enfin, tout compte fait, peut-être aurais-je d'autres idées de remerciement, je rectifie avec un clin d'œil. Mais attendons de voir comment se déroule la soirée.

Nous passons la soirée à manger, à boire, à parler et à rire. Kennedy me raconte son voyage de plongée au Belize, au printemps dernier, et je lui parle de l'excursion en kayak que j'ai faite en Alaska l'an dernier. Je lui parle de la ligue de lacrosse avec qui je joue le week-end, et son visage s'illumine lorsqu'elle me parle de ses recherches dominicales dans les brocantes et les vide-greniers. Nous prenons des nouvelles de nos familles respectives, et nous nous échangeons les anecdotes les plus drôles, horribles ou salaces qui nous sont arrivées en fac de droit.

En gros, c'est un rancard génial, le genre qu'on voit dans les comédies romantiques avec une chanson joyeuse en arrière-plan. Le genre qu'un mec raconte à ses potes le lendemain, même s'il n'a pas conclu.

Les heures passent sans qu'aucun de nous ne s'en rende compte, et lorsque nous revenons sur le porche de Kennedy, il est minuit passé. Nous sommes tous les deux détendus et souriants, et ses joues sont merveilleusement rosies par le vin et tous nos fous rires.

– Tu veux entrer ? propose-t-elle en déverrouillant la porte et en se tournant vers moi.

– Pour un *café* ? je demande en marquant les mots avec des guillemets.

– Non… mais je peux te faire visiter… te faire voir mes rénovations… les moulures d'origine…

– Ouais, je sais comment ça se termine. D'abord, tu m'invites à voir tes moulures… puis tu me demanderas de jeter un œil à tes fondations, et en fin de compte tu voudras que je mate le parquet sous ta moquette, c'est ça ?

Elle éclate de rire.

– N'oublie pas la cheminée. Tu veux voir mon marbre, Brent ?

– Et comment, j'ai toujours adoré parler de suie avec toi, Kennedy.

◆◆◆

La maison est un magnifique mélange de confort moderne dernier cri et de charme ancien. Nous parlons des poutres qu'elle a choisi de laisser visibles dans le salon ainsi que des enceintes Bluetooth cachées qui seront installées dans chaque pièce. Elle me montre un minuscule bureau avec le papier peint d'origine avec des hommes et des femmes nus qui ne se voient que lorsqu'on regarde de près. Cela dit, il s'agissait bien de l'époque victorienne, c'étaient tous des pervers refoulés.

Nous montons ensuite à sa chambre, dont la lumière est tamisée mais accueillante – il n'y a qu'une petite lampe en cristal sur une table de nuit en acajou. Trois murs sont beiges, et le quatrième, derrière le lit, est rouge bordeaux. Kennedy dort dans un lit à baldaquin immense, avec de gros coussins qui me font penser à des nuages. C'est le genre de lit dans lequel on a envie de passer des journées entières, et vu la façon dont Kennedy me regarde, peut-être est-ce justement le projet.

Je m'arrête devant la cheminée, promenant ma main sur le marbre.

– C'est très beau.

Kennedy me regarde depuis le seuil de la porte qu'elle vient de refermer.

– Oui… en effet.

Nos regards se croisent et ne se quittent plus, nous n'avons rien besoin de nous dire. Bon ou mauvais, juste ou faux, tout ce qui s'est passé dans nos vies nous a menés ici, à cet instant.

– Viens ici, Kennedy, je dis d'une voix grave.

Elle vient dans mes bras d'un pas déterminé et je la soulève en la serrant contre moi. Ses mains plongent dans mes cheveux, et nous nous embrassons alors comme si c'était la fin du monde. Nos bouches s'ouvrent et nos langues se cherchent, nos gorges laissent échapper des gémissements désespérés. Kennedy se cambre dans mes bras et penche la tête en arrière alors que j'explore son cou. La tension devient palpable autour de nous et le temps s'arrête.

– Brent..., chuchote-t-elle. C'est bien réel ? Dis-moi que c'est réel.

Je plonge mon regard dans le sien et je pose une main sur sa mâchoire.

– C'est réel, Kennedy. C'est tellement vrai que je n'arrête pas de trembler.

Elle étudie mon visage... Puis elle sourit. Parce qu'elle me croit.

Je suis soudain submergé par les sentiments que j'ai pour elle. C'est comme si... J'ai l'impression d'être le roi du monde.

Je fais glisser sa bretelle sur son épaule pour exposer son sein parfait. Je plie les jambes pour me baisser et je couvre sa peau douce de baisers avant de prendre son téton dans ma bouche, lui arrachant un long gémissement.

Je passe mes bras autour d'elle et je la soulève pour la porter jusqu'au lit. Je l'y dépose en continuant de dévorer son sein et elle empoigne le bas de mon tee-shirt. Je libère son téton et je lève les bras pour lui offrir mon torse qu'elle s'empresse d'explorer avec ses mains et ses ongles. Une bretelle de son débardeur casse alors que je le tire vers le bas et découvre toute sa poitrine.

Je dévore sa peau pâle des yeux puis j'embrasse son ventre, remontant lentement vers son visage. Nos peaux sont déjà brûlantes mais nous ne sommes toujours pas assez proches. Je mordille sa lèvre inférieure avant de m'emparer de toute sa bouche. Je suis fou de sa langue, de ses gémissements, de son goût. Je défais le bouton de son jean et, avec son aide, je le baisse en emportant son string au passage, la laissant complètement nue.

Je me dresse sur les genoux pour la regarder, tout en continuant de caresser ses seins et de titiller ses tétons. Je la mate sans gêne et je prends note de tous les détails, sa peau parfaite, la bosse de ses côtes sous sa chair soyeuse, le creux de son bassin, la toile vierge en dessous et, cerise sur le gâteau, ses lèvres brillantes et charnues.

Je gémis en gravant cette image à jamais dans ma tête, puis je saisis ses chevilles et je la tourne face à moi pour avoir une meilleure vue. Je grogne en glissant mes doigts en elle, montrant le chemin à ma bouche. Je m'allonge sur le ventre et mon souffle chaud chatouille sa peau alors que j'écarte ses lèvres.

– Bon sang, Kennedy, ta chatte est tellement belle.

Elle répond par un gémissement.

– Elle est faite pour être léchée et baisée toute la journée et toute la nuit.

Je presse ma bouche dessus et elle crie. Je la fouille avec ma langue et je lève les yeux au ciel parce que son goût est divinement sucré. Sa chatte va sans doute foutre ma vie en l'air, parce que je ne sais pas comment je vais réussir à mettre de côté l'image de ses superbes lèvres pulpeuses. Ma barbe gratte la peau tendre de ses cuisses et l'idée que j'y laisse des marques rouges m'excite à n'en plus finir.

Mon nez frotte son clitoris tandis que je lape le paradis entre ses jambes et, lorsque je remonte ma langue dessus, Kennedy soulève brusquement son bassin et elle jouit contre ma bouche, jambes tremblantes, en criant mon nom.

Je lui laisse deux secondes de répit pour qu'elle reprenne son souffle et je tourne la tête pour laisser un suçon sur sa cuisse.

– Viens ici, ordonne-t-elle. Embrasse-moi, Brent.

C'est avec plaisir que je lui obéis.

Ses mains caressent d'abord tendrement mon visage, puis elle pousse mon torse avec une force impressionnante jusqu'à ce que je sois dressé sur mes genoux. Elle tire sur le bouton de mon jean et je souris lorsqu'elle ronchonne de ne pas arriver tout de suite à le défaire. Cependant, je ne souris plus lorsqu'elle y parvient, parce que Kennedy ne perd pas de temps. Elle baisse suffisamment mon pantalon pour libérer mon érection et elle se jette dessus. Elle y promène sa langue, mouillant ma peau sensible, remontant jusqu'au gland avant de la prendre entièrement dans sa bouche.

Mon bassin tressaille et je dois m'accrocher à son dos pour ne pas tomber.

– Oufffff... putainnnnn...

Les jurons m'échappent alors que Kennedy se lâche sur ma queue, enroulant sa langue autour de mon sexe, me donnant tant de plaisir que j'ai peur de faire un arrêt cardiaque.

En même temps, ne serait-ce pas une mort sublime ?

Ma braguette ouverte râpe le dos de sa main alors qu'elle prend mes couilles dans sa paume pour les masser, tirant légèrement dessus, déclenchant une décharge électrique qui remonte le long de ma colonne vertébrale. Elle est super douée – trop, même. Elle fredonne quand je plonge ma main dans ses cheveux pour les tirer, et les vibrations m'emmènent au bord du précipice.

Seulement... j'ai beau vouloir passer ma vie avec mon sexe dans sa bouche... je ne veux pas jouir comme ça. Pas la première fois. Si Kennedy et moi « l'avions fait » il y a toutes ces années, dans la Ferrari de mon père, ç'aurait été lent, doux et tendre, comme dans les livres.

Or il n'y a ni lenteur ni douceur, maintenant. Nous nous dévorons mutuellement et c'est sauvage. Cependant, il y a de la tendresse, parce que nous voulons être encore plus près l'un de l'autre, nous embrasser plus profondément encore. Mon poing se resserre dans ses cheveux et je la retire de ma queue, ramenant son visage près du mien.

Elle est à deux doigts de protester, et je l'embrasse en riant.

– Bon sang, quelle fougue !

Elle me regarde dans les yeux et lorsqu'elle éclate de rire, je me dis qu'elle n'a jamais été aussi belle. Elle s'allonge lentement sur le dos, gracieusement, comme un papillon qui se pose sur une feuille, et elle se redresse sur ses coudes. Elle me toise d'un regard brûlant et sa voix devient suave.

– Enlève ton pantalon. Et viens ici.

Jamais un ordre aussi beau ne m'a été donné.

– Oui miss.

Je lui tourne le dos et je m'assois au bord du lit pour enlever mon jean. Je prends trois capotes dans mon portefeuille, puis j'enlève ma prothèse et ma jambière, parce que je suis plus mobile au lit sans et que j'ai l'intention de beaucoup bouger.

Apparemment, Kennedy trouve que je suis trop lent. Au lieu d'attendre que je vienne à elle, elle dépose des baisers sur mon dos puis sur ma nuque, et je sens ses seins plaqués contre ma peau. Je me tourne et je passe un bras derrière sa nuque pour la maintenir en place tandis que je m'empare de sa bouche. Mon autre bras passe dans son dos et je l'attire contre moi alors que je me dresse sur mes genoux. Des petits gémissements lui échappent et je les dévore.

Elle me surprend en me poussant pour nous allonger et elle atterrit sur mon torse dur. Elle dépose un baiser sur un pec, puis elle se redresse en souriant.

– Je veux te regarder.

Et bon sang, elle ne se prive pas. Elle m'explore avec ses yeux, puis avec ses mains, et tout à coup, il m'arrive quelque chose d'étrange.

Je me sens vulnérable. Je suppose que c'est ce que les femmes ressentent lorsqu'elles ont des vergetures ou de la cellulite, ou encore un petit bourrelet – quelque chose qu'elles n'aiment pas chez elles.

Cela fait longtemps que ma jambe amputée ne me gêne plus, par rapport aux femmes. Je ne suis pas mal à l'aise, et celles avec qui j'ai été ont surtout été intéressées par ma superbe troisième jambe, si vous voyez ce que je veux dire. Cependant, pour être tout à fait honnête, mon absence de jambe est… bizarre. Elle *manque*. Mon cerveau me dit qu'il devrait y avoir *plus*. Naturellement, on s'attend à voir deux jambes, or il y en a une qui… s'arrête.

Ma poitrine se soulève et retombe rapidement sous l'inspection de Kennedy. Je ne sais si c'est l'expression de mon visage ou si je fais quelque geste inconscient, mais elle lit dans mes pensées.

– Tu sais ce que je vois quand je te regarde, Brent ?

– Quoi ? je demande d'une voix rauque.

Elle caresse mes abdos, mes bras, mes cuisses.

– Je ne me dis pas « Oh, Brent est super fort », même si tu l'es. Je ne me dis pas « Il a survécu à tant de choses », même si c'est vrai. Je me dis simplement… « Parfait ». Tu es parfait, Brent, dit-elle en me regardant droit dans les yeux.

Je n'avais jamais réalisé combien j'avais besoin de l'entendre dire ces paroles. Je saisis ses bras et l'attire à moi, déversant toutes mes émotions sauvages, douces et folles dans mon baiser. Nous avons assez parlé. Nous nous sommes assez regardés et caressés. Maintenant, il est temps qu'on baise.

Je roule sur elle et ses gestes deviennent aussi brusques que les miens. Ses ongles me griffent, ses doigts me pincent et me palpent, son bassin frotte contre le mien et elle me serre si fort entre ses cuisses que j'ai presque du mal à respirer. J'attrape une capote, je l'ouvre avec mes dents, et je la déroule sur mon sexe d'une main experte. Je me relève sur un coude et je pousse mon gland entre ses lèvres, grognant en sentant sa chaleur humide à travers le latex. Kennedy écarte davantage les jambes, et je la pénètre lentement.

Pendant un long moment, aucun de nous ne bouge. Je suis dans *Kennedy*. Elle est merveilleusement douillette et je la laisse s'étirer autour de moi, s'accoutumer à ma taille tout en me délectant de sentir ses muscles trempés envelopper ma queue.

Je plonge mon regard dans ses superbes yeux marron et je me retire pour m'enfoncer de nouveau, optant pour un rythme lent et régulier. Sa bouche est entrouverte et j'entends son souffle lui échapper par à-coups à chacun de mes allers-retours. Nos nez s'effleurent et bientôt je me laisse guider par mes sens. Je ferme les yeux, je m'empare de sa bouche, et j'accélère. Sa langue tournoie dans ma bouche et elle gémit.

– Je savais… je savais que ce serait comme ça. Oui… oh oui, Brent.

Ses mains saisissent mes fesses pour m'enfoncer davantage en elle. Je mordille son cou et mon bassin accélère encore le mouvement, dessinant des cercles entre ses cuisses chaque fois que je suis au fond de sa chatte. Je serais gêné de sentir si tôt mon orgasme arriver si je ne savais pas déjà qu'elle en est au même stade que moi.

C'est parfait, comme elle l'a dit.

Sa chatte se contracte et j'accélère encore un peu, frottant mon pelvis contre son clitoris. Tout à coup, il ne m'est plus possible de réfléchir. Elle pousse un cri aigu et elle serre si fort mon sexe que c'en est presque douloureux. Je m'enfonce en elle une dernière fois, jouissant si fort que le bourdonnement de mon sang dans mes oreilles m'empêche d'entendre mes propres gémissements.

Au bout de quelques minutes, mon ouïe me revient. Les mains de Kennedy caressent mon dos, lentement, comme si elle me remerciait. Je lève la tête et j'ouvre les yeux, découvrant son regard voilé.

J'ai l'impression que je devrais dire quelque chose d'éloquent et de profond, mais mon cerveau ne s'est toujours pas remis en marche. Je me contente donc de l'embrasser tendrement, avec toute ma gratitude. Je sens sa joie et je la partage tandis qu'elle me tient contre elle, refusant de me lâcher.

14

Nous ne dormons pas. Nous commençons à sombrer dans le sommeil, mais les bisous se transforment en baisers plus fougueux et les caresses en griffures – malgré notre épuisement, nous baisons toute la nuit.

Kennedy passe beaucoup de temps sur le ventre durant le prélude au deuxième round, parce que je suis désormais obsédé par son cul – cette sensation rebondie, lisse et souple sous mes mains et sous ma langue, sa façon de gigoter quand je la prends par-derrière. J'y plante mes doigts, laissant une nuée de petits bleus sur sa chair en forme de cœur. Je le mords, je l'embrasse. Si le cul de Kennedy était transformé en statue de bronze, je me prosternerais devant tous les matins.

Durant le troisième round, c'est elle qui me chevauche. Elle a suivi quelques leçons d'équitation, à l'époque, et bon sang, elles en valaient la peine. Elle jouit ainsi et la vue dans cette position est particulièrement merveilleuse – la façon dont ses seins rebondissent quand elle s'envoie en l'air sur ma queue, la manière dont son dos élégant se cambre alors qu'elle se déhanche, l'expression sublime qui couvre son visage quand elle jouit une deuxième fois en criant mon nom.

Kennedy n'a pas de préservatifs chez elle, donc, après le troisième round, nous sommes en rupture de stock. Cependant, cela ne nous empêche pas de remettre le couvert une dernière fois. Cela demande un peu de persuasion, mais elle finit par accepter de chevaucher mon visage et je la fais jouir avec ma langue profondément enfouie dans sa chatte. Ensuite, elle s'allonge sur le dos, épuisée, et je glisse ma queue entre ses seins pour les baiser lentement. Elle trouve tout juste assez d'énergie pour lever la tête et sucer mon gland, et elle gémit quand j'éjacule sur elle.

Je ne me souviens plus de grand-chose après cela, mais je crois que je me suis effondré sur elle et que nous nous sommes tous deux endormis.

◆◆◆

Je suis tiré d'un sommeil profond et mérité par la sensation d'une langue mouillée et râpeuse derrière mon oreille. Ça me chatouille, et je souris déjà en ouvrant les yeux. Je roule sur le dos, m'attendant à trouver de superbes yeux marron. Cependant, ceux que je découvre sont noirs, en forme d'amande, et ils sont rattachés à une petite tête blanche et poilue.

Miaou.

Je sens une autre langue sur ma jambe, et je baisse la tête pour trouver un chat tigré en train de faire l'amour à mon genou. Ma gorge est sèche et un peu sensible, sans doute à cause de tous mes gémissements. Je me force à déglutir et je regarde la boule de poils enroulée à côté de ma tête.

– Tu dois être Edward, je lui dis.

C'est en tout cas ce que je déduis de sa robe pâle, alors que l'autre a davantage la couleur d'un loup – je suppose donc que c'est Jacob.

Mon Dieu, je suis horrifié de savoir ça.

Je gratte la tête du chat et je m'assois en cherchant Kennedy, mais je trouve un mot sur la table de nuit, adossé à la lampe.

J'ai dû aller au bureau. On se voit au tribunal cet après-midi.

Un *mot* ? Elle se fout de ma gueule ? Après hier soir, après tous nos baisers, toutes nos caresses et la pléthore d'orgasmes, j'ai droit à un *mot* ?

Je ne crois pas, non. C'est hors de question.

◆◆◆

Je déboule chez moi et je me douche en un temps record. Harrison me propose un petit déjeuner en me regardant comme les Avengers regardent Bruce Banner avant qu'il ne se transforme en l'Incroyable Hulk. Je dévore une omelette, j'attrape mon attaché-case, et je sors avec ma chemise à moitié boutonnée et ma cravate desserrée autour de mon cou.

Dix minutes plus tard, je claque la porte du bureau de Kennedy, je la verrouille et je ferme les stores.

Elle me regarde en souriant jusqu'aux oreilles.

– Salut !

– Tu ne sais donc pas ce que sont des règles de base ? je réponds en grimaçant.

Le sourire de Kennedy s'efface légèrement.

– Quoi ?

J'avance lentement vers elle, le regard assassin.

– Tu es diplômée de Yale. Tu devrais être capable de comprendre ce concept. La seule conclusion que je peux en tirer, c'est que tu as délibérément enfreint les règles, ce matin. Et cela a des conséquences, petite rebelle.

Je me penche sur elle, satisfait de voir son pouls accélérer dans sa gorge, et elle gigote, mal à l'aise, mais le regard excité, plein de désir.

– Je ne m'enfuyais pas, Brent, j'ai simplement reçu un email. Il y a du nouveau dans l'affaire Mariotti et j'ai dû venir plus tôt… pour travailler…

Elle s'interrompt alors qu'elle étudie ma bouche.

Je hoche la tête, et j'enlève lentement ma cravate. Puis, en un mouvement rapide, je la soulève de son siège et je l'assois au milieu de son bureau.

– Brent…

Ses protestations s'arrêtent là parce que je recouvre sa bouche avec ma cravate et je la noue derrière sa tête. Pas trop serrée, bien sûr, mais juste assez pour qu'elle ne bouge pas – et pour étouffer ses sons.

Il ne faudrait surtout pas que quelqu'un nous entende, nous avons une image à protéger.

– Apparemment, je n'ai pas été assez clair, hier.

Je glisse ma main sous sa jupe, j'enlève son string et je le fourre dans la poche de ma veste.

– Mais je compte y remédier tout de suite.

J'écarte ses jambes, je la tire au bord du bureau, et je m'agenouille devant elle.

Je plaque ma langue puis mes lèvres sur sa fente déjà mouillée, l'embrassant et la suçant. Kennedy se penche en arrière en gémissant, une main sur le bureau derrière elle, l'autre dans mes cheveux et elle écarte encore davantage ses jambes.

Je fais l'amour à sa chatte avec ma bouche, comme je voulais le faire ce matin, et je la baise avec ma langue, parce que je voulais le faire aussi. Comme je n'ai pas beaucoup de temps, je me concentre sur son clitoris, pressant et frottant, le râpant légèrement avec mes dents. Il durcit contre ma langue et au bout de cinq minutes Kennedy est déjà en train de se tortiller sur mon visage, sifflant malgré son bâillon, au bord d'un énorme orgasme.

C'est le moment que je choisis pour arrêter. Je me lève, j'ouvre ma braguette, et je sors ma queue, caressant lentement mon érection. Kennedy me regarde en ouvrant grand les yeux.

– Tu voulais jouir ? je demande en haussant les sourcils.

– Hmmf.

Je hoche la tête sans cesser de me branler.

– Seules les femmes qui respectent les règles ont le droit de jouir.

Tout à coup, elle a l'air furax.

– Mais si tu t'excuses, je ne t'en tiendrai pas rigueur, cette fois-ci.

– *Fscuz*, répond-elle sans avoir l'air désolée.

– Pardon je n'ai pas bien compris, je dis en lui tendant l'oreille. Tu peux réessayer ?

– *Fscuz*, grogne-t-elle.

Je fronce les sourcils puis je détends mon visage, feignant de comprendre.

– Ah ! tu ne peux pas dire pardon, c'est ça ? Parce que tu es bâillonnée ? Mince, c'est pas de bol, ça.

Elle tente de me mettre une droite, mais j'attrape son poignet et je le fixe dans le bas de son dos. Elle lance son poing gauche mais je l'arrête aussi et je tiens d'une main ses deux poignets dans son dos.

– A te haire houtre, crache-t-elle en me fusillant du regard.

– Ah, *ça*, je comprends. Et j'en ai bien l'intention, je rétorque en souriant jusqu'aux oreilles.

J'empoigne la base de ma queue, je me penche sur elle, et je m'enfouis complètement en elle. La sensation de sa chatte autour de moi est sublime. Je la baise sans aucune retenue et elle ferme bientôt les yeux, appuyant son front sur ma mâchoire. Je lâche ses mains pour saisir ses hanches et la tirer vers moi.

Je m'attendais à ce qu'elle enlève son bâillon, mais au lieu de cela elle passe ses bras dans mon dos pour s'accrocher. Il ne faut que quelques minutes pour la ramener au bord de l'orgasme – je sens les pulsations dans ses muscles, j'entends son souffle devenir aigu et accélérer.

C'est alors que je stoppe les mouvements de mon bassin. Elle essaie de finir toute seule, frétillant contre moi, mais dans cette position, elle ne peut rien faire.

– Si je me réveille et que tu n'es pas à côté de moi, je te ligoterai au lit, je dis d'une voix tendue. Et je ferai ça pendant des heures. Je ne te laisserai pas sur ta faim, parce que je ne suis pas un monstre, mais je t'obligerai à me supplier et je te ferai hurler avant de te laisser jouir. Je titille son oreille avec ma langue avant de l'embrasser et de dénouer ma cravate.

– Maintenant, dis s'il te plaît.

Elle mord mon oreille. Fort.

Je recule la tête en riant.

– Eh, tout doux, Mike Tyson.

Je me retire sur un centimètre et je la pénètre de nouveau pour la narguer un peu.

– Allez, dis s'il te plaît, Kennedy. Pour nous deux. Ça va être tellement bon.

Je sens ses lèvres sur ma joue puis dans mon cou.

– S'il te plaît, Brent. Oh oui… s'il te plaît.

C'est tout ce qu'il me fallait.

Je reprends mes va-et-vient, nous précipitant vers l'orgasme, et je sombre avec elle. Nous jouissons ensemble, grognant, haletant comme deux bêtes sauvages.

C'est génial.

Je ne bouge pas pendant quelques minutes, le temps que mon cœur reprenne un rythme normal et que ma respiration se calme. Ensuite, je me redresse et j'ajuste ses vêtements. Après m'être rapidement rhabillé, je remue mon index devant son visage.

– J'espère que tu as compris la leçon. Je vais garder ta culotte pour le reste de la journée pour que tu ne l'oublies pas.

Elle n'a pas l'air contente, et après cette partie de jambes en l'air phénoménale, c'est inacceptable. Je tiens donc son visage entre mes mains et je l'embrasse tendrement en caressant sa joue avec mon pouce.

– Hier soir était la plus belle nuit de ma vie. Je te l'aurais dit ce matin, si tu avais pris la peine de me réveiller avant de partir.

Je sens sa colère fondre et je crois voir qu'elle jubile discrètement. Je l'embrasse sur le front puis je me lèche les lèvres, sentant encore son goût sur ma bouche.

– À tout à l'heure au tribunal, maître Randolph.

Je lui fais un clin d'œil et je sors de son bureau, de bien meilleure humeur que lorsque j'y suis entré.

◆◆◆

Cet après-midi-là, Kennedy est distraite, décontenancée. Peut-être est-ce parce qu'elle n'est pas habituée à baiser sur son lieu de travail. Peut-être est-ce parce que j'ai pris sa culotte en otage – et que je la trifouille dans ma poche pendant la séance pour le plus pervers de mes plaisirs. Quelle que soit la raison, elle passe une mauvaise journée.

Et elle m'en tient responsable.

J'en ai la confirmation lorsqu'elle se pointe chez moi, ce soir-là, entrant sans frapper. Harrison lui sert un scotch, qu'elle boit en deux gorgées en me fusillant du regard.

Elle tend le verre vide au majordome et, avec le ton de quelqu'un qui a grandi dans une maison pleine de domestiques, elle lui dit : « Merci Harrison. Nous n'aurons plus besoin de vous ce soir. »

Ensuite, elle fixe son regard assassin sur moi.

– Brent, j'aimerais te parler, en privé.

– Après toi, mon petit pétard. Je te suivrai partout où tu iras.

Elle nous mène dans ma chambre et j'ai à peine refermé la porte qu'elle me plaque dessus et qu'elle arrache mes vêtements. Si c'est comme ça qu'elle gère les défaites, j'ai dix fois plus envie de la battre.

◆◆◆

Quelques jours plus tard, je déjeune avec Jake, Stanton et Sofia, et je les mets au courant de mon histoire avec Kennedy.

Ils me dévisagent tous les trois, les yeux grands ouverts.

Ensuite, Jake secoue lentement la tête, comme s'il essayait d'y voir plus clair.

– Attends, je veux m'assurer que j'ai bien compris. Tu te tapes la procureur dans ton affaire ?

J'avale une bouchée de club sandwich à la dinde.

– Oui. Enfin, parfois on baise, parfois on traîne juste ensemble.

Comme hier, chez Kennedy, quand on s'est blottis sur le canapé pour regarder un film. Elle a choisi *Mad Max: Fury Road* ce qui, si je ne le savais pas déjà, a confirmé qu'elle est vraiment une nana incroyable. On s'est fait des câlins et on s'est un peu chauffés – elle m'a laissé lui peloter les seins –, mais c'est tout.

– Parfois on parle…

Comme la nuit après que Kennedy s'est pointée chez moi pour une baise furieuse et qu'elle m'a expliqué la situation dans son affaire Mariotti. Apparemment, le FBI a entendu une conversation téléphonique dans laquelle des menaces ont été proférées contre le procureur du procès : Kennedy. Mariotti aurait laissé savoir qu'il récompenserait celui qui la mettrait hors de portée de lui nuire. Il est assez banal dans les procès de la mafia d'essayer d'intimider les procureurs pour qu'ils baissent les bras. Les agents du FBI n'ont pas de preuve concrète de la menace, mais ils ont assigné à Kennedy une équipe de protection rapprochée, au cas où.

– Et parfois, on fait l'amour.

– Et ça n'affecte pas ta manière de mener le procès ? demande Stanton.

– Non. On est super agressifs durant la séance, et on se défoule le soir au pieu. C'est génial.

– Et cette procureur est une amie d'enfance dont tu es tombé amoureux quand tu avais dix-sept ans, mais que tu n'as pas revue pendant quatorze ans ? demande Sofia en caressant le bras de son mari.

Ils s'entendent beaucoup mieux, ces jours-ci, depuis le Grand Compromis. Stanton a accepté de ne plus emmerder Sofia au sujet de son choix de clientèle, du moment que Sherman, leur énorme rottweiller, est à ses côtés dans son bureau. Autant dire qu'aucun client n'a osé hausser le ton.

– C'est ça, je réponds en mangeant une frite.

Je brûle tellement de calories avec Kennedy qu'il faut que je fasse le plein.

Jake fronce les sourcils, comme s'il ne comprenait toujours pas.

– Et tu veux une relation sérieuse avec elle ?

Je hausse les épaules.

– On n'en est pas encore à choisir le prénom de nos gamins, mais on est sur la bonne voie, ouais.

Ma liste est déjà toute faite – et *Charlie* est en pole position.

– Et Kennedy ressent la même chose ? demande Sofia.

– Plus ou moins, ouais. Elle a quelques problèmes, mais j'y travaille. Elle finira par être sur la même longueur d'onde que moi.

Stanton appuie son coude sur la table.

– Tu es sûr que ce n'est pas le frisson de la bataille qui te donne envie d'être avec elle ?

– Pas du tout, je réponds en fronçant les sourcils. Qu'est-ce qui te fait dire ça ?

Sofia répond en choisissant ses mots précautionneusement.

– Parce qu'en dehors de tes parents et de ton psy, on est tous les trois ta relation la plus sérieuse et durable.

Hmm, ce n'est pas faux.

– Exactement, ajoute Stanton. Et tu as dit qu'elle avait des « problèmes ». Donc ma question est la suivante : si tu gagnes le procès, comment va-t-elle supporter de perdre sa première affaire à Washington, et qu'en plus ce soit face à *toi* ?

Je n'avais pas trop pensé à cette éventualité – j'ai sans doute été trop occupé à baiser –, mais je devrais y réfléchir un peu, je suppose.

Soudain, je n'ai plus faim.

◆◆◆

Plus tard dans la journée, je suis dans le cabinet de Charlie. Ce n'est pas ma séance habituelle, mais il a réussi à me caser entre deux rendez-vous.

– Vous êtes très silencieux, dit-il en me regardant patiemment derrière ses lunettes. Silencieux et… immobile.

Comme vous le savez, je réfléchis mieux en bougeant. Cependant, aujourd'hui, il se passe déjà trop de choses dans ma tête et je dois me contenter de rester assis.

Je me penche en avant, coudes appuyés sur mes genoux.

– Est-ce que vous pensez que j'ai peur de l'intimité ?

Son regard s'illumine alors qu'il comprend qu'après des semaines, des mois, des années de travail, je suis au bord de l'épiphanie.

– Je ne vous l'aurais pas suggéré si je ne pensais pas que c'était vrai.

Je frotte ma barbe tout en envisageant la possibilité qu'il ait raison, pour la première fois.

– Qu'est-ce qui vous fait penser ça ? J'ai pourtant de très bons rapports avec mes amis et ma famille, je suis un petit ami attentionné, un amant altruiste et généreux…

– Quand il s'agit de vos relations amoureuses, explique Charlie, vous faites un effort important, et inconscient, pour maintenir une distance émotionnelle. Pour reprendre vos propres mots, vous faites en sorte que ça reste « fun » et « léger » parce que vous considérez que la vie est trop sérieuse. Vous ne cherchez pas de véritables partenaires, simplement des femmes avec qui vous pouvez passer le temps. Imaginez un étang gelé. Vous patinez sur la surface, sans jamais envisager de plonger *sous* la glace pour savoir si les fondations sont solides. Ça ne vous inquiète pas, parce que vous n'avez pas l'intention de rester assez longtemps pour passer à travers.

Il a raison, et cela a très bien fonctionné pour moi… jusqu'à maintenant.

– Vous savez pourquoi je fais ça ?

– Oui, répond-il.

Puis, rien. Ces fichus psys, ils sont sans cesse en train de jouer avec votre tête.

– Ça vous gênerait de m'expliquer ?

Il se racle la gorge.

– Vous avez connu un grave traumatisme à un très jeune âge. Contrairement à la plupart des adolescents, vous n'avez jamais traversé la « phase d'invincibilité » durant laquelle on pense que rien ne peut nous arriver, quels que soient les risques qu'on prend. Vous saviez déjà que des choses affreuses peuvent arriver, que la sécurité n'est qu'une illusion et que des événements terribles frappent les gens de façon aléatoire. Votre amputation vous a laissé avec deux impressions que vous avez portées en vous jusqu'à ce jour. La première, c'est que la vie est imprévisible et cruellement courte. Donc vous la croquez à pleines dents, vous saisissez autant d'expériences que vous le pouvez, accomplissant vos buts avec une énergie frénétique – parce que vous ne savez pas quand votre temps sera écoulé. La seconde impression, qui est émotionnellement contre-productive par rapport à la première, c'est que vous protégez vos sentiments, surtout envers les femmes. Vous économisez l'affection que vous offrez, parce que vous ne savez jamais quand *leur* temps sera écoulé et que la perte d'une personne que vous aimez est votre plus grande peur.

Ses paroles résonnent dans ma tête un moment et je crois qu'il a vu juste. Cependant, cela ne signifie pas que je dois le croire.

– J'ai rencontré quelqu'un. Enfin, j'ai refait connaissance avec quelqu'un, plutôt.

C'est au tour de Charlie de se pencher en avant, parce qu'il ne m'a jamais entendu parler d'une femme sur le ton que j'emploie maintenant – un ton sérieux et désespéré.

Je lui parle de Kennedy, de notre enfance, du pensionnat, de l'affaire Longhorn et de tout ce qui s'est passé entre nous depuis la fête d'anniversaire. Je lui dis combien je veux que ça fonctionne avec elle, combien je veux la protéger et réaliser ses rêves. Surtout, je lui dis combien j'ai peur de tout faire foirer, y compris avec le procès Longhorn.

– Vous croyez aux âmes sœurs, Charlie ? je lui demande enfin.

Il enlève ses lunettes pour les essuyer, puis il les remet en prenant son temps.

– Je crois que la question la plus importante c'est : est-ce que *vous* y croyez, Brent ?

– Eh ben... maintenant, *oui*. Pendant toutes ces années, Kennedy n'a jamais ouvert son cœur à personne. Elle a ses raisons, mais la conséquence est que personne n'a pu faire tomber ses remparts. Et si... et si la raison pour laquelle je ne me suis jamais autorisé à tomber amoureux d'une femme, c'est que je n'avais rien à donner ? Parce que j'avais déjà offert mon cœur à Kennedy quand j'avais dix-sept ans ? Et que pendant toutes ces années... j'attendais qu'elle revienne avec ?

Nous sommes silencieux un moment, seules les aiguilles de l'horloge se font entendre.

– Qu'en pensez-vous, Charlie ?

Il sourit lentement et me regarde avec fierté, et confiance.

– Eh bien, Brent, je crois que de nos deux théories, je préfère la vôtre.

15

– Putain… ouiiii !

Kennedy tressaille en me chevauchant et les allers-retours de son bassin deviennent brusques et désespérés. Je prends un sein dans une main, pinçant son téton alors que je suce l'autre.

– Oh… *oh !*

Elle appuie son menton sur ma tête en jouissant et ses muscles se contractent autour de mon sexe alors que j'explose en elle en criant.

Quelques minutes après, nous sommes allongés, entremêlés sur le lit, et je promène ma main sur son bras en réfléchissant.

Kennedy a conclu ses arguments il y a quelques jours. J'ai fait passer mon nouvel expert en informatique à la barre des témoins, histoire de suggérer une forme de doute raisonnable. À présent, il ne reste que Justin. Il va témoigner pour sa propre défense… puis ce sera fini.

Je me demande si ce que je ressens est la même chose que ce que ressentent Serena Williams et Peyton Manning quand ils doivent jouer contre leur frère ou leur sœur. Je suis tellement tiraillé. Je veux remporter cette affaire, pour Justin et parce que j'aime gagner, mais je ne veux pas que Kennedy perde.

Je soupire avant de me lancer.

– Écoute… je sais que tu penses que tu vas gagner ce procès…

Kennedy me répond de cette voix douce et veloutée qu'elle a toujours après trois orgasmes.

– Je ne *pense* pas, je *sais.*

– Oui, d'accord, je réponds en serrant son bras. Le truc, c'est que demain, tout ton travail va partir en fumée. Je vais appeler Justin à la barre, et les jurés ne le mettront pas en taule pour vingt longues années après avoir entendu son poignant témoignage. Comme tu ne leur as pas laissé la possibilité de le condamner à moins, donc c'est vingt ans ou rien. Il va donc falloir que tu accpetes de négocier un plaidoyer avec moi, Kennedy.

Elle s'assoit brusquement et me regarde comme si elle ne me reconnaissait pas.

– Espèce de pourriture !

Vous connaissez déjà la suite. Elle essaie de m'en coller une, je jette ses vêtements par la fenêtre, etc.

◆◆◆

– Maintenant écoute-moi, mon bouton d'or, je dis en admirant son superbe visage furieux. Je suis en train de tomber amoureux de toi.

Kennedy se crispe sous moi et je secoue la tête.

– Non. Plutôt, je *suis* amoureux de toi. Quand je te regarde, quand je pense à toi, je n'arrive pas à décider si je veux te baiser, t'étrangler, ou simplement te tenir dans mes bras. D'habitude, ce sont les trois à la fois. Et si *ça*, ce n'est pas de l'amour, alors je ne sais pas ce que c'est.

Elle ouvre la bouche pour me contredire, mais je ne la laisse pas faire.

– Tu es tout ce que j'ai passé ma vie à chercher, sans même le savoir. Je t'ai parlé de négocier le plaidoyer parce que c'est la meilleure solution pour l'affaire et parce que je suis terrifié à l'idée que tu m'en veuilles quand je gagnerai. Et j'ai déjà trop de raisons de me faire pardonner.

Sa poitrine se soulève si vite qu'on croirait qu'elle court un sprint. Et sans doute est-ce le cas dans sa tête.

– Laisse-moi me lever, Brent. Tout de suite.

Je lâche ses poignets et je me décale sur le matelas, assis à côté d'elle. Kennedy se relève, mais elle ne bouge pas, réfléchissant à vive allure.

– Tu n'as pas besoin de répondre quoi que ce soit, je dis en rangeant une mèche derrière son oreille.

Ce serait sympa qu'elle réponde qu'elle m'aime aussi, bien sûr, mais elle n'y est pas obligée.

Lorsqu'elle dit enfin quelque chose, ses yeux restent rivés sur ses mains.

– Tout cela va si vite…

– Je sais, mais c'est bien réel, Kennedy, je dis en lui prenant la main. *Nous* sommes bien réels.

Elle regarde nos mains, mais elle ne tient pas la mienne.

– Je tiens à toi, Brent, tu dois le savoir. Je… je ne sais pas si je suis capable de t'aimer. J'ai rêvé d'être avec toi pendant si longtemps… et puis, après le lycée, j'ai laissé ce rêve mourir. Je l'ai brûlé, enterré, je l'ai plongé au fond d'un…

– Ouais c'est bon, j'ai compris.

– Je crois que… je le préfère enterré, Brent. Ça rend les choses plus faciles. Mes relations avec David ou les autres étaient simples. Je m'amusais et je passais à autre chose quand c'était fini, parce que je n'étais pas attachée. Ces relations ne changeaient ni mon quotidien, ni qui je suis.

Je repense à Charlie et à son étang gelé.

– Tu préfères patiner à la surface.

Elle fronce les sourcils, confuse.

– Si tu ne plonges jamais dans l'eau, tu n'as pas à avoir peur de te noyer.

– Oui, c'est ça, concède-t-elle en hochant la tête.

Elle retire sa main et elle se lève, puis elle se frotte les yeux et soupire.

– Je vais rentrer chez moi pour réfléchir, d'accord ?

Est-ce que je suis déçu ? Absolument. Vaincu ? Absolument pas. Je comprends ce qu'elle ressent, bien plus qu'elle ne le pense, et comme je l'ai dit, je suis patient. Et déterminé. Je ne crois pas une seule seconde qu'elle soit incapable de m'aimer. Il y a trop de passion entre nous, trop de sentiments. Je crois même qu'elle m'aime peut-être déjà. Il faut juste que je l'aide à le voir.

Kennedy se tourne vers moi et elle prend la même posture qu'au tribunal, alors qu'elle est nue comme un ver.

– Et il n'y aura pas de négociation. Je maintiens ma stratégie. Si je la change maintenant, je me demanderai toujours si je l'ai fait parce que c'était la meilleure chose à faire pour l'affaire ou si c'était parce que j'ai été influencée par mes sentiments envers toi.

Je hoche la tête, résigné, mais pas surpris.

– D'accord.

Elle prend ma chemise qui traîne sur le lit et elle commence à l'enfiler, quand je l'arrête. J'ouvre la porte de ma chambre et là, soigneusement pliés et empilés par terre, se trouvent les vêtements de Kennedy, comme je m'en doutais.

Kennedy glousse lorsque je les ramasse et que je les lui donne, et elle crie dans le couloir : « Merci, Harrison ! ».

Je devrais sans doute donner à ce pauvre petit une augmentation.

Nous restons silencieux pendant qu'elle s'habille – sans soutif, mais je ne m'en veux pas du tout, bien au contraire –, puis elle vient à moi. Elle se dresse sur la pointe des pieds et elle m'embrasse tendrement.

– On se voit demain.

En effet. Ce sera notre dernière confrontation. Notre dernière bataille. Lorsque ce sera fini, un seul de nous sera encore debout.

◆◆◆

– J'appelle Justin Longhorn à la barre, Votre Honneur.

Justin ajuste sa cravate bleu marine, essuie ses mains sur son pantalon beige et vient à la barre. Il prête serment, et je hoche la tête pour l'encourager.

– Comment vas-tu, Justin ?

– Pas très bien, répond-il en déglutissant.

Je désigne la salle d'audience dans laquelle nous sommes.

– C'est un peu fou, n'est-ce pas, de se faire engloutir aussi vite par le système judiciaire ?

Kennedy se lève.

– Maître Mason a-t-il une question pour le témoin, Votre Honneur ?

Je tourne la tête vers elle, admirant ses belles jambes sous sa jupe bleu foncé.

– J'en ai plusieurs, oui, je réponds.

– Dans ce cas, accélérez, dit le juge.

– Oui, Monsieur. Quel âge as-tu, Justin ?

– Dix-sept ans, répond-il de sa voix qui vient de muer.

– As-tu des centres d'intérêt ? Des hobbies ?

– En gros, il n'y a que les ordinateurs.

Je lui fais raconter son enfance, comment il a commencé avec les jeux de Xbox et les Game Boy, puis comment il est passé aux jeux en ligne et au code. Il explique qu'il est devenu ami avec d'autres joueurs anonymes et qu'il a découvert les tchats secrets où se retrouvent les hackers. Il explique également comment les hackers se vantaient toujours de leurs réussites et qu'ils essayaient toujours de s'impressionner et de se surpasser les uns les autres.

– Parle-moi de la First Security Bank, Justin.

Il est plus à l'aise, à présent.

– Le pare-feu de la First Security Bank était légendaire. C'était comme la médaille d'or que tout le monde veut remporter. Sauf que tout le monde échouait, alors les gens ont commencé à dire que c'était impossible.

– Et tu as tenté ta chance ? Tu as essayé de pénétrer leur système de banque en ligne ?

Il regarde brièvement les jurés, puis il déglutit et baisse les yeux.

– Eh ben… oui. C'était un défi. Comme le dernier niveau d'un jeu vidéo.

Il explique comment il a essayé pendant trois jours et trois nuits consécutives en ne se nourrissant que de boissons énergétiques.

– Et après ? je demande.

Il n'arrive même pas à se retenir de sourire.

– J'y étais. J'ai d'abord eu du mal à le croire, mais les comptes étaient là, devant mes yeux.

– Alors qu'est-ce que tu as fait ? Tu es retourné dans le tchat pour dire aux autres que tu y étais ?

Justin fronce les sourcils.

– Non, je ne l'ai dit à personne. J'ai passé un moment à me promener parmi les lignes de comptes, à visiter. Je m'attendais sans cesse à me faire éjecter quand ils allaient réaliser que j'étais là. Mais personne… personne ne m'a vu, conclut-il d'une voix presque triste.

– Que s'est-il passé ensuite ?

– Je me suis créé un compte. Un faux compte.

– Pourquoi ? je demande en m'appuyant contre la table.

– Pour voir si quelqu'un allait le remarquer.

– Est-ce que ça a été le cas ? Est-ce que quelqu'un t'a remarqué, Justin ?

Il secoue légèrement la tête.

– Non.

– Alors qu'as-tu fait ?

Voici le moment fatidique. C'est le risque que Justin et moi avons pris, parce qu'il est sur le point d'avouer son crime.

– C'était une erreur, je n'ai pas voulu…

– Qu'est-ce que tu n'as pas voulu faire, Justin ?

Il prend une profonde respiration.

– J'ai pris un centime sur un compte.

– *Un* centime ? je répète en souriant.

– Oui. Puis j'ai attendu vingt-quatre heures. Pour voir…

– Pour voir si quelqu'un allait te remarquer ?

– Oui.

– Est-ce que ça a été le cas ?

Il répond si bas que le greffier doit lui demander de répéter sa réponse.

– Non.

– Que s'est-il passé ensuite, Justin ?

Ses yeux sont rivés au micro devant lui.

– J'ai pris cent centimes. Un dans cent comptes différents.

Je jette un œil aux jurés. Il y a huit femmes qui sont toutes mères et six hommes, dont quatre sont pères et deux sont des oncles. Douze d'entre eux vont décider du sort de Justin, les deux restants sont des alternatives. Et chacun d'entre eux est concentré sur Justin. Ils regardent chacun de ses gestes, retiennent chacune de ses paroles. Ils remarquent chaque nuance, comme je l'espérais. Aucun n'a l'air agacé ; ils ont l'air curieux, intéressés, touchés.

C'est parfait.

Je choisis délibérément mes mots.

– Est-ce que quelqu'un t'a vu, à ce moment-là, Justin ?

– Non.

– Alors qu'as-tu fait ?

Il marque une pause avant de répondre et il me regarde, cherchant mon conseil. Je hoche la tête pour l'encourager.

– C'est flou... je ne me souviens pas exactement de l'ordre des choses, mais... j'y suis retourné. Et j'ai pris plus d'argent sur les comptes.

– Est-ce que tu avais déjà prévu comment dépenser l'argent ? Un week-end au ski ? Une fête dans un hôtel de luxe ?

– Non, je n'allais rien faire avec l'argent.

– Alors pourquoi l'as-tu pris ?

Il secoue la tête, l'air hagard, perdu, comme le jeune garçon qu'il est.

– Je... je ne sais pas. C'était... un accident. Je n'avais pas prévu tout ça.

Je laisse ses mots suspendus quelques instants, marquant une pause importante, puis je retourne à ma table.

– Je n'ai plus de questions pour le moment, Votre Honneur. Il est à vous, maître Randolph, je dis en regardant Kennedy.

Elle ne m'accorde pas un regard, rivant ses yeux perçants sur Justin, comme un prédateur à quelques mètres d'une gazelle blessée.

– Maître Randolph, c'est à vous, dit le juge.

Kennedy se jette sur lui sans retenue et sa voix est sèche et tranchante, presque méconnaissable.

– C'était un *accident* ? Ai-je bien entendu ? Vous avez volé 2,3 millions de dollars dans les fonds de retraite d'une douzaine de victimes qui ont travaillé toute leur vie pour gagner cet argent, et c'était un *accident* ?

Kennedy choisit ses mots avec précaution, elle aussi. Nous cherchons tous deux à dépeindre aux jurés le tableau que nous voulons qu'ils voient.

– Oui, répond Justin en clignant des yeux.

Kennedy fait les cent pas devant lui. Elle est dangereuse, menaçante. Si ce n'était pas le moment charnière du procès, je suis certain que je banderais.

– Combien de temps cet « accident » a-t-il duré ? demande-t-elle.

– Je… je ne me souviens pas.

– Plus de cinq minutes ?

– Oui.

– Plus de dix ?

– Euh… ouais.

– Une heure ?

– À peu près, oui, répond Justin en remuant sur son siège.

– Un *accident*, monsieur Longhorn, c'est un événement fâcheux et imprévisible. Comme quand quelqu'un trébuche et tombe sur le trottoir. Vous voyez la différence entre vos actions et le fait de tomber sur un trottoir ?

Justin me regarde d'un air paniqué.

– Pardon ?

– Il ne faut pas une heure pour tomber. Cette durée requiert de la préméditation, une détermination, répond-elle sèchement.

Elle croise les bras et change de tactique, comme un boxeur passant d'un coup droit à un uppercut.

– Deux virgules trois millions de dollars, c'est *beaucoup* d'argent, monsieur Longhorn.

Il hoche la tête de manière hésitante.

– Je suppose.

– Que pourrait-on faire avec 2,3 millions ?

– Je... Je ne sais pas. Presque tout, j'imagine.

– Exactement, interrompt Kennedy en pointant son index sur Justin. *Presque tout.* Ce genre d'argent achète la liberté. Le pouvoir. Et vous vouliez ce pouvoir, n'est-ce pas ?

– Non. Ce n'est pas pour ça...

– Vous vous pensiez au-dessus de vos victimes, n'est-ce pas ? Vous vous êtes dit que vous n'auriez pas à travailler pour économiser cet argent parce que vous pourriez simplement aller vous servir dès que l'envie vous prendrait, n'est-ce pas ?

– Je...

Elle le harcèle. Je pourrais intervenir, mais je ne fais rien. Je reste assis et je la laisse faire ce que je *savais* qu'elle ferait.

– Qu'avez-vous ressenti quand vous avez passé le pare-feu de la First Security Bank, monsieur Longhorn ?

– Je ne sais pas, répond Justin en fronçant les sourcils.

– Bien sûr que si. Est-ce que vous étiez content ?

– Je suppose.

– « Je suppose » n'est pas une réponse. Oui ou non ?

– Oui. J'étais content.

– Et qu'avez-vous ressenti en prenant tout cet argent ? Sachant que votre plan était un succès ?

– Ce n'était pas... Je n'ai pas...

– Avez-vous pensé aux gens à qui vous l'avez pris ?

– Pas vraiment.

– Voyons, bien sûr que si, monsieur Longhorn. Personne ne croit à votre petit jeu. Nous savons la vérité. Lorsque vous avez évincé le pare-feu de la banque, vous vous êtes senti plus intelligent que les autres hackers, n'est-ce pas ?

– Oui, si on veut…

– Et quand vous avez pris l'argent, vous vous êtes senti puissant. Il ne s'agissait pas seulement de lignes de comptes, mais de *gens*. Vous saviez que ces gens seraient terrorisés de voir toutes leurs économies s'évaporer, et cela vous a procuré encore plus de plaisir, n'est-ce pas ?

– Non, je n'ai jamais voulu…

– Vous vouliez leur montrer que vous étiez meilleur, plus intelligent. Vous vouliez leur faire peur, leur faire du mal. Des gens innocents et sans défense comme madame Potter, dit-elle en désignant la petite femme qui fronce les sourcils au premier rang. Et vous avez réussi. Parce qu'en fin de compte vous n'êtes qu'une brute avec un ordinateur. Un cyberterroriste.

Les joues de Justin deviennent rouges et ses yeux s'emplissent de larmes.

– Je suis désolé !

– Oui, monsieur Longhorn, vous pouvez l'être. Ils n'ont jamais…

– Je voulais juste que quelqu'un me voie ! hurle Justin, coupant brusquement la parole à Kennedy. Je voulais juste que quelqu'un sache que j'étais *là* !

Il fond en larmes, sanglotant dans une main, bégayant son cri de détresse.

– Personne ne me voit jamais ! Je n'ai pas d'amis. Quand je marche dans les couloirs du lycée, je suis comme un fantôme. C'est comme si je n'existais pas.

Il désigne les chaises vides derrière moi, où devraient être ses parents.

– Mes propres parents ne sont même pas là ! Ils s'en fichent. Tout le monde s'en fiche, sanglote-t-il sous les regards estomaqués de toute la salle d'audience.

Y compris celui de Kennedy.

– Je… c'est…, bégaie-t-elle, essayant de reprendre le cours de ses pensées.

– Je pourrais aller en prison pour vingt ans, ou mourir demain, et ça ne ferait rien à personne. Je suis désolé, dit-il en regardant madame Potter. Je ne voulais pas vous faire peur. Je voulais juste que quelqu'un, n'importe qui, sache que j'étais là.

En dehors des sanglots de Justin, la salle d'audience est parfaitement silencieuse.

Kennedy le dévisage et je vois des milliers d'émotions différentes traverser son visage. Et sans doute des milliers de souvenirs.

– Peut-on avoir une suspension d'audience, Votre Honneur ? je demande au juge.

– Accordée, nous reprendrons dans dix minutes.

Il frappe son marteau et les jurés sortent de la salle.

Je passe devant Kennedy, qui semble figée là où elle est, et je vais chercher Justin. Il s'essuie les yeux et je lui tapote l'épaule.

– Tout va bien, mon pote.

Nous retournons à la table de la défense et madame Potter fusille Kennedy du regard.

– Vous devriez avoir honte de vous acharner comme ça sur ce pauvre garçon.

– Je… je n'ai pas…

Madame Potter continue jusqu'à nous et prend Justin dans ses bras.

– Allons, mon garçon. Viens me voir, j'ai des cookies dans mon sac. Harold, donne un cookie à ce garçon !

Justin semble être entre de bonnes mains, donc je prends Kennedy par le bras et je l'emmène dans le couloir. Nous allons dans une petite salle de réunion vide, et je l'assois délicatement dans une chaise.

– Mon Dieu, dit-elle, encore sous le choc.

– Respire, Kennedy.

– Je... putain...

– Kennedy, je dis plus fort pour attirer son attention. Respire.

– Il s'est complètement effondré, dit-elle en me regardant.

– Oui.

– Il... ce n'est pas un criminel. C'est juste un gamin qui se sent seul.

– Je sais.

– Mon Dieu... Et je me suis acharnée sur lui !

– En effet.

– Parce que j'ai trouvé ça bon, Brent, admet-elle. Ça m'a fait du bien. Je me suis sentie puissante.

– Oui... j'avais compris.

Sa respiration est rapide et superficielle.

– Je ne voulais plus jamais me sentir faible. Alors j'ai tout fait pour le démolir. Parce que je me suis sentie puissante en le voyant se sentir mal.

– Je sais, je réponds d'une voix douce.

– Brent, siffle-t-elle d'une voix outrée. C'est *moi* le tyran ! Je suis devenue une brute !

Je sens qu'elle est sur le point de fondre en larmes, et je pose une main sur son épaule.

– Kennedy, tout va bien.

Elle laisse tomber son front sur la table.

– Eh !

Je pose ma main sur la table pour qu'elle ne se cogne plus.

– Tout doux ! J'aime bien ta jolie petite tête alors ne lui fais pas de mal, ok ?

Elle lève sur moi des yeux coupables et brillants.

– Écoute-moi, je dis en m'asseyant en face d'elle. Justin est un bon gamin. Il se sent seul, oui, mais il se remettra de cette histoire, crois-moi. Je sais que tu dois être épuisée, mais tant qu'on est là, et puisqu'on n'a pas toute la journée, qu'est-ce que tu dirais de négocier son plaidoyer maintenant ?

Immédiatement, Kennedy se tient plus droite. C'est désormais le procureur qui me regarde.

– Que proposes-tu ?

– Justin plaide coupable, mais ça reste dans son casier juvénile et ça ne le suit pas dans sa vie d'adulte. Il prend deux ans avec sursis, qu'il passera sous la supervision du chef informatique du FBI, avec un agent qui reconnaît les talents de Justin et qui veut qu'il s'en serve pour faire le bien.

– C'est… un accord unique…

– Un ami à moi a eu un arrangement similaire lorsqu'il était jeune, et c'est la plus belle chose qui lui soit arrivée. Comme ça, Justin ne deviendra pas un cyberterroriste parce que sa maman ne l'aime pas. Il aura quelqu'un pour le surveiller. Il *comptera* pour quelqu'un, Kennedy, et je crois que c'est pour cette raison que toute cette histoire a commencé.

Elle tapote son ongle sur la table en réfléchissant.

– Quatre ans. Je veux qu'il soit supervisé jusqu'à ses vingt et un ans. Et plus « d'accidents » bancaires. S'il recommence un truc du genre, il va en prison.

– Tu sais, ton côté vengeresse est sacrément sexy, je dis en souriant.

Elle me sourit en me tendant la main.

– Marché conclu, je dis en la prenant.

Kennedy va pour se lever, mais je serre sa main plus fort.

– J'ai fait livrer quelque chose chez toi, aujourd'hui. Ce sera là quand tu rentreras. Je veux que tu le mettes ce soir, quand tu viendras chez moi à sept heures pétantes. Dis oui, s'il te plaît.

Elle fait mieux que ça. Elle se penche sur la table pour m'embrasser, *puis* elle dit oui.

◆◆◆

Quand toutes les formalités administratives ont été réglées, je sors du tribunal avec Justin, qui a le numéro de madame Potter et un rencard pour jouer à la pétanque avec Harold. Comme ses parents ne sont pas là, je décide de le ramener chez lui. Nous descendons les marches et nous dirigeons vers l'angle de rue où Harrison va venir nous chercher, lorsque Kennedy sort du tribunal pour retourner travailler à son bureau. Deux agents en civil la suivent à quelques mètres et elle est approchée par une journaliste en tailleur jaune avec un bloc-notes à la main.

– Madame Randolph, que pensez-vous du nouveau procès Mariotti ?

Le ton de Kennedy est confiant, presque arrogant, et c'est super sexy.

– Notre affaire est aussi solide que la première fois. Je ne vois pas pourquoi le résultat ne serait pas identique. C'est-à-dire qu'il sera déclaré coupable sur tous les chefs d'accusation.

– Et que ressentez-vous au sujet des rumeurs selon lesquelles monsieur Mariotti aurait mis votre tête à prix ? Craignez-vous pour votre sécurité ?

– Gino Mariotti a fait de l'intimidation des autres sa carrière, obtenant ce qu'il veut par la violence et la peur. En ce qui me concerne, il doit se préparer à être déçu.

Je regarde cette superbe blonde partir la tête haute, et j'ai du mal à me retenir de crier à la journaliste : « C'est ma copine ! ».

16

Cette fois-ci, Kennedy vient. À dix-neuf heures précises, quelqu'un frappe à la porte et Harrison va ouvrir tandis que j'attends dans mon jardin. J'ai été particulièrement plein d'énergie toute la journée, et j'ai eu beau essayer de travailler, je n'ai pas cessé de me demander si Kennedy était rentrée chez elle.

Mes mains ont passé tant de temps sur son corps que je connais ses mensurations par cœur. En tout cas, suffisamment pour décrire à la styliste de ma mère la robe qui lui ira comme un gant.

Je ne me suis pas trompé. Lorsque Kennedy sort dans mon jardin, mon cœur cesse de battre. Son cou parfait et ses bras délicats sont nus dans une robe bustier blanche qui scintille presque au clair de lune. Le tissu soyeux moule ses seins et les rapproche, offrant à mes yeux un décolleté juteux dans lequel je rêve de plonger ma langue. La robe est cintrée sur sa taille fine, puis elle est légèrement évasée jusqu'aux genoux, et le jupon volette dans la brise légère. La robe est superbe, sexy mais élégante. C'est le genre qu'une femme porte pour une soirée spéciale… ou qu'une fille porte à son bal de promo.

Ses cheveux sont lâches et bouclés, ses lèvres brillent sous son gloss, et son sourire est intrigué et émerveillé. Son regard fait le tour du jardin, où des guirlandes scintillent dans les arbres et les buissons et où des bougies illuminent la table dressée pour deux. Les enceintes jouent *Kiss Me*, de Sixpence None the Richer, un grand succès dans les années quatre-vingt-dix. Lorsque ses yeux exquis se posent sur moi, je sais qu'elle a compris.

– Tu n'as pas pu aller à ton bal de promo de terminale… J'ai pensé qu'il était temps d'y remédier.

– Brent… C'est… Waouh.

Je mords ma lèvre inférieure en hochant la tête.

– Oh, mais ce n'est pas fini.

J'ouvre la petite boîte sur la table et j'avance vers elle.

– Tu m'as acheté un corsage [10] ? demande-t-elle en riant.

– Oui, je dis en épinglant les petits boutons de rose. À dix-sept ans, je t'aurais sans doute pris un corsage de poignet parce que j'aurais été trop intimidé pour l'accrocher ici.

Mes doigts effleurent sa peau douce sous le tissu de son bustier.

– Mais aujourd'hui je suis un homme, donc ce corsage ne me fait pas peur. Et puis, j'ai pu toucher ton nichon, donc… c'est un bonus.

Son éclat de rire résonne dans le jardin et mon sang s'embrase. Elle penche la tête alors que le morceau change, remplacé par *Photograph*, de Ed Sheeran. Son sourire est encore plus resplendissant.

---

10. Petit bouquet de fleurs que l'on attache au poignet ou au col d'un vêtement.

– J'adore cette chanson.

– Moi je ne l'aimais pas, avant. Les radios la passent trop souvent et ça a fini par m'agacer. Mais récemment… j'ai commencé à l'apprécier. Parce qu'elle me fait penser à toi. À nous.

Elle hoche la tête et elle prend ma main.

– Danse avec moi, Brent.

– J'ai cru que tu ne me le demanderais jamais.

Je la prends dans mes bras et je la serre fort contre moi. Je suis ses petits pas, mais nous nous contentons surtout de nous balancer. Kennedy pose sa joue sur le revers de mon costard, et je l'embrasse sur la tête.

– Tu es magnifique, je dis.

Cependant, je n'ai sans doute pas besoin de le lui dire, car mon érection pressant contre sa cuisse a déjà dû vendre la mèche.

– Merci, répond-elle en levant la tête. Merci d'avoir fait ça. C'est… un rêve devenu réalité.

– Oui, je suis d'accord, je dis avant de l'embrasser fougueusement.

◆◆◆

Une semaine plus tard, Kennedy m'appelle à mon bureau, au beau milieu de la matinée.

– Salut, tu viens à la maison ce soir, n'est-ce pas ?

Elle n'a jamais vu le film *New York 1997*, un de mes films préférés, et elle est d'accord pour le regarder avec moi.

– Rien ne pourra m'arrêter.

– Ok, tant mieux. J'ai besoin de ta crosse. Désespérément.

– Est-ce que c'est ton nouveau surnom pour mon sexe ?

Son rire chatouille mon oreille.

– Non. Il y a une chauve-souris dans mon grenier et j'ai besoin de ta crosse pour l'attraper.

Je me redresse dans mon fauteuil pour encaisser sa déclaration absurde.

– Il y a une chauve-souris dans ton grenier ?

– Oui.

– Et tu crois que tu peux l'attraper avec ma crosse ?

– C'est ce que j'ai dit, oui.

– D'accord, Kennedy, je vais t'expliquer. Tu es superbe et brillante et tu es une déesse au pieu, mais tu es incapable de te servir d'une crosse. Je t'ai vue jouer. Tu ne pourrais pas attraper un ballon de basket avec, même s'il était posé au sol.

Je suis presque certain qu'elle lève les yeux au ciel.

– Eh ben il va falloir que j'y arrive. J'ai appelé deux exterminateurs et les deux veulent la tuer. Or les chauves-souris sont inoffensives. Je ne veux pas qu'elle meure, je veux juste qu'elle aille vivre ailleurs.

– Dans ce cas, tu as de la chance que j'aie deux crosses. On l'attrapera ensemble.

Je veux dire par là que Kennedy agitera vainement la crosse dans l'air et que moi j'attraperai l'animal.

– J'espérais bien que tu dirais ça, répond-elle.

◆◆◆

J'arrive chez Kennedy juste avant le coucher du soleil, pour qu'on soit en place quand la bête se montrera. Je hoche la tête pour saluer l'agent garé devant chez elle et j'entre sans frapper.

Je la trouve sur le canapé, allongée sur le ventre, m'offrant une vue somptueuse de ses fesses dans son minishort de sport, en train de caresser Jasper. Je commence à croire qu'il est la progéniture de Mephisto, maître maléfique de l'univers Marvel.

– C'est qui le plus mignon des chatons ? ronronne-t-elle. C'est *toi* le beau minou.

– Sa propriétaire est beaucoup plus belle que lui, je ricane.

Elle se tourne sur le côté pour me regarder.

– Ha-ha.

– Je suis très sérieux ! Tu es prête ? je demande en désignant les crosses.

Elle se lève et saisit un casque de football de Yale qu'elle met sur sa tête.

– Prête !

Elle est tellement mignonne que ma queue se dresse pour mieux admirer la vue.

– Joli casque. Tu es sortie avec un joueur de football dont tu as oublié de me parler ?

– Non, répond-elle en souriant. C'était un costume de Halloween à la fac.

– Hmmm...

Je me mets alors à penser à toutes les possibilités de costumes qui iraient merveilleusement bien à Kennedy.

– Tu n'aurais pas une tenue de pom-pom girl, par hasard ?

– Non, mais j'étais Supergirl, l'année d'après.

Ma tête explose et je mords mon poing en imaginant son petit corps parfait dans un justaucorps en lycra bleu, avec une petite jupe rouge, une culotte assortie, et une cape soyeuse volant derrière elle.

Il ne faut pas oublier la cape.

– Pourquoi j'apprends ça seulement maintenant ? Tu as encore la tenue ?

– Oui. Elle est au grenier, répond-elle en m'offrant un sourire lourd de sous-entendus.

Quand j'aurai attrapé cette chauve-souris, je vais l'embrasser.

Une heure plus tard, après que Kennedy a failli m'assommer avec la crosse, nous tenons le vilain petit squatteur dans une boîte en carton. Nous l'emmenons au Tidal Bassin pour le libérer, puis nous rentrons chez Kennedy et je baise Supergirl courbée sur le canapé. Deux fois.

◆◆◆

La semaine suivante, Kennedy croule sous le travail pour préparer son affaire Mariotti. Nous parvenons néanmoins à nous voir lorsqu'elle se glisse dans mon lit après minuit, ou que je passe à son bureau avec de quoi manger, ainsi que ma bite. Ce samedi, elle accepte de mettre le travail de côté et d'aller passer la nuit à la demeure de mes parents, sur la rivière Potomac. Ils passent le week-end dans leur chalet de Saratoga, donc nous aurons la baraque pour nous tout seuls.

J'ai surtout hâte d'être avec elle dans ma maison d'enfance et de réaliser tous mes fantasmes dans chacune des pièces. Il y a *beaucoup* de pièces dans cette maison.

Nous y allons avec ma décapotable, toit baissé, et je suis le plus heureux du monde de conduire sous le soleil, ma main sur sa cuisse, accompagné par la musique de Tom Petty.

Henderson, le majordome de mes parents, nous accueille aussi chaleureusement que s'il était notre oncle. Il s'occupe de nos sacs, et nous filons faire une balade en bateau sur la rivière. Nous finissons par jeter l'ancre pour passer le reste de l'après-midi à nager et à pêcher. L'eau est glacée, mais le soleil est chaud lorsque nous sortons sur la berge. Nous étendons une couverture sur la plage et, comme elle est parfaitement cachée, nous nous réchauffons… par d'autres moyens.

Elle sent la noix de coco et l'ambre solaire. La peau autour de sa chatte est lisse et légèrement salée sous ma langue. Lorsque j'écarte ses lèvres avec mes doigts et que je les plonge en elle, ses genoux s'enfoncent dans le sable de chaque côté de ma tête. Kennedy est étendue sur moi, ses cheveux blonds entre mes cuisses, soulevant et rabaissant sa tête en me suçant. J'appuie sur son cul pour la rapprocher et accroître le contact de ma bouche sur sa chatte. Mon sang bourdonne dans mes oreilles et je me sens légèrement soûl, mais je continue de la sucer et de la lécher tandis qu'elle fredonne en me prenant dans sa bouche.

Son orgasme n'est pas loin – je le sais parce que son bassin commence à remuer, cherchant plus de friction. Je serre ses fesses et mon index trace un trait entre ses deux orifices. Un jour, elle m'y emmènera, et ce sera magnifique. Mais pour que ce soit bon, il faut un peu plus de préparation. Ainsi, je me contente de mettre un doigt dans ses fesses en même temps que je dessine de petits cercles sur son clitoris avec ma langue. Elle jouit brusquement, spectaculairement, en poussant un long gémissement qui me fait vibrer jusque dans mon bas-ventre.

Je nous roule sur le côté et je me tourne pour que mon torse soit plaqué contre son dos. Je tire ses hanches contre les miennes, et je soulève sa jambe pour la pénétrer. La tête de Kennedy repose sur la couverture et je profite de la position pour dévorer sa gorge et son épaule. Je la râpe avec mon menton et j'enfonce mes dents dans sa chair, m'arrêtant juste avant de lui faire mal. Des grognements effrénés m'échappent et mes mains se promènent sur elle, frottant son clitoris, glissant sur son ventre, palpant ses seins lourds.

Je sens mon orgasme approcher puis il culmine et déferle en moi. Le plaisir est si intense que je perds le contrôle de mes mouvements et de mes paroles.

– *Tellement* bon… j'adore… putain, Kennedy, je t'aime…

Lorsque je reprends le contrôle de mes facultés, mon front repose sur son épaule et elle s'appuie contre moi de tout son poids. Cependant, tandis que mon cœur reprend un rythme normal, je la sens se contracter, se crisper contre moi.

Puis elle s'éloigne.

Merde.

Je me redresse sur un coude et je roule sur elle pour qu'elle n'ait d'autre choix que de me regarder.

– Salut.

– Salut, répond-elle en se forçant à sourire.

– Ça va ?

– Ouais.

Je ne la crois pas.

Elle reste silencieuse un moment, puis elle fronce les sourcils.

– Est-ce que c'est à cause de mon physique, *maintenant* ?

– Quoi ?

Je n'ai pas la moindre idée de ce dont elle parle.

– C'est pour ça que tu veux de moi ? C'est pour ça que je suis là ?

– Non, bien sûr que non !

Mes yeux se promènent sur ces traits que je connais si bien et je la revois à neuf ans, à treize ans, et à tous les âges où je l'ai connue jusqu'à maintenant.

– Tu étais ma meilleure amie, Kennedy, je t'ai toujours trouvée fun. Géniale. Puis, quand on a grandi, je t'ai trouvée super mignonne. Je te trouvais jolie, même avec tes lunettes et tes pulls trop larges. Quand j'ai commencé à bander régulièrement, ton appareil dentaire m'a fait un peu peur, mais ça ne m'a jamais repoussé.

Kennedy semble… pensive. Elle n'a l'air ni contente ni soulagée par ma réponse, comme je m'y attendais. Elle s'assoit et je me redresse, appuyant mon coude sur mon genou plié alors que ma queue repose contre ma cuisse, épuisée.

– Tu te souviens du dernier week-end de l'été, juste avant la rentrée de première, quand tu as invité des mecs de ton équipe ici ? Ils étaient dans la même bande que Cashmere.

– Hmm, mouais, je dis au bout d'une minute.

– Je ne savais pas qu'ils étaient là, et j'étais venue voir si tu voulais qu'on fasse quelque chose. Vous étiez dans la piscine et j'étais sur la terrasse, mais aucun de vous ne m'a vue. Vous parliez de filles… de moi.

Mon estomac se noue et je ferme les yeux, parce que je me souviens, maintenant.

– Ils ont dit que j'étais bizarre. Que j'avais une odeur bizarre…

Je tourne brusquement la tête vers elle.

– Ils disaient n'importe quoi, bien sûr que ce n'était pas le cas.

– Et ils ont dit que j'étais moche, murmure-t-elle. Qu'ils devraient mettre un sac sur ma tête pour…

– Kennedy…

J'ai soudain envie de tuer, de pulvériser quelque chose. Je veux plonger ma main dans sa tête et lui arracher ces horribles souvenirs afin qu'elle n'ait plus jamais à les revivre.

– Ensuite, je suis partie.

– C'étaient des connards, d'accord ? je dis en posant ma main sur son épaule. Des petits cons. *Moi* je n'ai rien dit de tout ça.

– Non, je sais, répond-elle froidement. Tu n'as jamais *rien* dit, justement. Quand ils sont partis, tu es venu chez moi et on a traîné ensemble… comme d'habitude. Parce que je pouvais être ton amie, du moment que personne n'était là pour le voir.

Je ne peux que la dévisager et m'assurer qu'elle me croie.

– Je suis désolé. Je suis *tellement* désolé de t'avoir fait du mal. J'étais un abruti et un lâche. Je n'aurais pas dû me soucier de ce qu'ils pensaient. Mais je t'aimais, Kennedy. Blonde ou brune, en tailleur haute couture ou en sac poubelle, j'ai toujours voulu être près de toi. Même à l'époque.

Elle baisse la tête mais je l'oblige à la relever et à me regarder dans les yeux.

– Si je pouvais retourner dans le temps et changer les choses, je le ferais. Mais nous sommes là, aujourd'hui. Il faut qu'on avance. Je t'aime. Il te faudra peut-être du temps pour l'accepter, mais j'attendrai. Parce que tu en vaux la peine. Tu en as toujours valu la peine.

◆◆◆

Le temps que nous revenions chez mes parents, tout va mieux. Nous entrons en nous tenant la main et nous nous dirigeons vers l'escalier pour nous doucher dans ma chambre.

Cependant, nous nous figeons dans le hall d'entrée lorsque nous nous retrouvons nez à nez avec ma mère, qui regarde nos mains jointes comme si c'était un miracle.

– Bonjour, mon chéri ! s'exclame-t-elle en souriant jusqu'aux oreilles. Kennedy, ma chère, je suis ravie de te revoir. Ici. Avec Brent.

– Bonjour, madame Mason, je suis ravie de vous revoir, moi aussi.

Je fais de mon mieux pour que ma voix ne révèle pas ma déception.

– Qu'est-ce que tu fais là, Maman ? Je croyais que vous étiez à Saratoga.

– Ton père avait mal au dos, nous avons décidé de rentrer.

C'est alors que mon père passe devant la porte ouverte de la bibliothèque, téléphone à l'oreille, en train de faire les cent pas. Il ne semble pas du tout avoir mal au dos. J'étudie Henderson en fronçant les sourcils. Ce traître. Mon projet de baptiser la salle de bal avec une bonne pipe tombe à l'eau.

– Vous avez passé une bonne journée ? demande ma mère.

– Oui, super. On a pris le bateau. On allait monter se doucher, maintenant.

– C'est bien, dit-elle d'une voix mielleuse. Au cas où vous auriez prévu de faire autrement, je crois qu'il vaut mieux que vous dormiez tous les deux dans ta chambre, Brent, et que vous vous serviez de ta salle de bain. Les autres chambres ne sont pas prêtes pour des invités, hélas.

– Je vous demande pardon ? demande Henderson d'un air outré.

– Elles ne sont pas prêtes, Henderson. Point final, répond-elle sèchement.

Elle commence à me faire flipper, maintenant. C'est une chose de vouloir prendre Kennedy dans des dizaines de positions différentes, l'idée que ma mère nous encourage à le faire, c'est… tordu.

– Ok. Merci, Maman.

Je guide Kennedy à l'étage, mais nous ne sommes pas dans ma chambre depuis deux minutes que son téléphone lui annonce un message.

Elle s'assoit sur mon lit pour le lire et, depuis mon fauteuil de bureau, je tapote mon front comme un devin.

– Attends, ne me dis rien. Comme ma mère n'a pas pu se retenir de dire à la tienne que nous sommes là, c'est un message de ta mère. Et nous sommes invités à dîner chez toi.

– Tu devrais monter un spectacle à Vegas, tu aurais un immense succès, répond Kennedy en me montrant son téléphone.

Elle se laisse tomber en arrière sur le lit et elle gonfle ses joues avant d'expirer tout l'air de ses poumons.

◆◆◆

Les dîners chez les Randolph sont toujours formels. Les hommes doivent être en costume, les femmes en robe de soirée. J'avais la tenue appropriée chez mes parents, et ma mère a prêté à Kennedy une petite robe noire qu'elle a achetée à Paris il y a quelques années. Heureusement, il y avait encore l'étiquette dessus – prouvant que ma mère ne l'a jamais mise –, sinon l'énorme érection que j'ai eue lorsque j'ai vu Kennedy avec aurait pu être bizarre.

La table de la salle à manger est assez longue pour accueillir confortablement trente personnes. Sans la musique classique en arrière-plan, les trois premiers plats auraient été affreusement gênants, parce que nos parents ne parlent pas, ils se contentent de nous regarder. D'attendre.

Heureusement, le père de Kennedy finit par tenter de lancer une conversation normale.

– Comment se présente ton procès au Nevada, ma princesse ?

– Il a un surnom pour toi ? je demande en fronçant les sourcils. Pourquoi il a le droit de te donner un surnom et pas moi ?

– Pas maintenant, Brent.

J'accepte de lâcher l'affaire, à contrecœur, mais elle peut s'attendre à ce qu'on en parle plus tard, même si je dois la ligoter au lit pour que la conversation aboutisse. J'avoue, peut-être que je cherche juste une excuse pour la ligoter.

– Ça se passe bien. Je suis certaine de pouvoir obtenir une seconde conviction.

Mitzy se racle la gorge, indiquant que la partie « observation » de la soirée est terminée, et que la partie « interrogation » va commencer.

– Oui, c'est mignon, Kennedy, mais n'y a-t-il pas quelque chose que tu voudrais nous dire ? Une annonce, peut-être ?

Kennedy cligne des yeux, confuse.

– Rien ne me vient à l'esprit, non.

Mitzy jette sa serviette en tissu sur la table et dévisage sa fille.

– J'étais à la levée de fonds de Prince, jeune fille. J'ai vu Brent te kidnapper après cette demande en mariage sordide. Donc ce que je voudrais savoir, ce que nous voudrions tous savoir, c'est ce qu'il se passe entre vous deux.

Apparemment, les interrogatoires sont une seconde nature, chez les Randolph. Mitzy aurait fait une très bonne avocate.

– Brent et moi sommes… amis.

– Ne sois pas pudique, Kennedy, cela ne te sied pas.

Je comprends pourquoi Kennedy n'a pas envie d'en parler à sa mère. C'est comme cette scène dans le dessin animé original de *Cendrillon*. Lorsque Cendrillon fabrique sa propre robe et que ses demi-sœurs la réduisent en lambeaux. J'ai connu Kennedy depuis son plus jeune âge, et il n'y a pas un seul aspect de sa vie que Mitzy n'ait pas critiqué sauvagement.

Or c'est différent, cette fois-ci. Parce que je suis là. Je jette ma serviette à mon tour et je prends la main de Kennedy par-dessus la table.

– En vérité, madame Randolph, Kennedy et moi sortons ensemble. Mais pour l'instant, nous voyons comment les choses évoluent… Nous profitons de la compagnie l'un de l'autre. Le reste ne vous regarde pas.

Kennedy me regarde comme si j'étais un prince qui vient de la réveiller en l'embrassant, qui a trouvé son soulier de verre, qui l'a embarquée sur un tapis volant et qui a vaincu la méchante sorcière.

Nous nous perdons un instant dans les yeux l'un de l'autre, jusqu'à ce que ma mère hurle assez fort pour briser les verres en cristal.

– Tu avais raison, Mitzy ! Tu avais raison !

– Je te l'avais dit, Kitty. Tout se passe comme prévu !

– Comment ça, comme prévu ? demande Kennedy en fronçant les sourcils.

– Tu as trente-deux ans, Kennedy. À l'évidence tu n'allais pas te marier sans mon aide. Kitty et moi savions qu'en orchestrant vos retrouvailles, à Brent et à toi, les choses avanceraient toutes seules. Et maintenant, tout est parfait.

– Tu n'as rien orchestré, mère. Brent et moi nous sommes revus à la fête. Nous avons été assignés à la même affaire.

Mitzy hausse ses sourcils dessinés au crayon.

– Et qui t'a fait revenir ici, afin que tu puisses être à la fête et que tu acceptes cette petite affaire ?

Kennedy est bouche bée.

– Mais tu as dit que père était malade ! Tu as dit qu'il lui fallait des examens !

– Ce n'était qu'un leurre, ma chérie.

– Tu avais une bouteille d'oxygène quand je suis venue ! s'exclame Kennedy en dévisageant son père. Et le… le truc sur le nez !

– C'était l'oxygène de ta tante Edna, répond Mitzy.

Son père, au moins, a la décence d'avoir *un tout petit peu* honte.

– Je veux juste que tu sois heureuse, ma princesse.

Ma mère s'immisce alors dans la conversation.

– Tu sais ce que je n'arrive pas à décider, Mitzy ?

– Quoi donc, Kitty ?

– Été ou automne ? Le mois de juin est le plus classique, mais la menace d'une averse est toujours agaçante. Je me fiche qu'on dise que la pluie porte bonheur, il est hors de question qu'il y ait de la boue à ce mariage.

– Ça dépendra de l'endroit, répond Mitzy. Tout repose sur le lieu. Ce ne sera pas à New York, c'est certain. Peut-être à Palm Beach ?

– Mère..., gronde Kennedy.

– Cela dit, l'humidité à Palm Beach est atroce. En tout cas, ce sera dehors. Avec des tentes blanches, des collines vertes, le coucher du soleil...

– Mère ! s'exclame Kennedy en se levant.

– Et des fleurs blanches ! poursuit Mitzy. Mais pas des lys, ça rappelle trop les enterrements.

– Mère ! crie Kennedy en tapant du pied.

– Kennedy, vraiment, grogne sa mère. Qu'est-ce qui te prend ? Est-ce le comportement d'une future mariée ?

– Tu ne feras pas ça ! Ce n'est pas *toi* qui décides de tout !

– Baisse d'un ton, tu vas rompre un vaisseau sanguin, en criant, et avec ta peau, tu ne peux vraiment pas te le permettre.

– Nous prendrons *seuls* nos décisions, et tu n'auras rien à dire en la matière, mère ! Si je veux me marier à Tahiti, je le ferai !

– Mais oui, ma chérie, répond Mitzy en tournant de nouveau la tête vers ma mère pour lui demander qui a fait la robe de mariée d'Ivanka Trump.

– D'ailleurs, marmonne Kennedy, c'est ce qu'on fera. On se mariera à Tahiti. *Tahiti !* s'exclame-t-elle en frappant du poing sur la table. Dans un bar !

– Est-ce que c'est ta demande ? C'est tellement soudain ! Mais… j'accepte !

– À poil ! crie Kennedy à sa mère. Et on ne prendra aucune photo !

– Si on va être à poil, on devrait prendre quelques photos, je propose. Ou faire une vidéo.

Cependant, nos mères poursuivent leur joyeuse conversation, et c'est comme si Kennedy et moi n'étions plus là. D'ailleurs, c'est la meilleure idée que j'ai eue de la soirée.

Je me lève et je lui tends la main.

– Viens.

Elle résiste un peu, donc je la tire auprès de moi.

– Ça ne te gêne pas ? demande-t-elle en désignant nos parents, qui n'ont même pas remarqué notre départ.

– Non, ça ne me gêne pas.

– Comment c'est possible ? Comment peuvent-ils…

Je lui coupe la parole en l'embrassant passionnément, une main sur la nuque, l'autre sur le creux de ses reins, l'attirant contre moi.

– Laisse-les s'amuser. Le moment venu, on fera ce qu'on veut, promis. Maintenant, allons nous promener. Tu n'as qu'à me montrer ta cabane au fond du jardin.

– C'est une métaphore ?

Je suis surpris qu'elle doive demander.

– Évidemment.

17

Mes parents sont au conseil d'administration de nombreuses organisations, institutions et associations dont les objectifs leur tiennent à cœur – nourrir les enfants des pays du tiers-monde, fournir des iPad aux ZEP[11] ou encore protéger les espèces en danger de la forêt amazonienne. Les galas de collecte de fonds font partie intégrante du deal, et parfois mes parents me demandent de les y remplacer et de représenter la Fondation Mason.

C'est ainsi que Kennedy et moi nous retrouvons à la Smithsonian Institution[12], le jeudi suivant, pour un gala de soutien à une association qui apporte de l'eau potable en Afrique. La salle de bal est tamisée, éclairée par des néons orange et par des voiles assortis suspendus au plafond. Un brouhaha constant de conversations, de rires et de tintements

11. Zone d'éducation prioritaire.
12. Institution de recherche scientifique à vocations éditoriale, muséographique, pédagogique et éducative.

de flûtes de champagne remplit la salle tandis que des hommes en costume trois-pièces s'amusent gaiement au bras de femmes recouvertes de diamants.

Kennedy est sublime, comme d'habitude, dans une robe courte et moulante d'un bleu glacial dont les épaules tombantes me donnent l'impression qu'elle pourrait être à poil d'une seconde à l'autre. C'est d'ailleurs une théorie que je vais mettre à l'épreuve plus tard. Nous buvons un verre et nous papotons avec l'organisateur principal de la soirée, Calvin Van Der Woodsen, un vieil ami de mon père.

Au bout de quelques minutes, Calvin doit nous quitter car la cuisine n'a plus de chou frisé violet pour la garniture. Hélas, c'est mon affreux cousin qui le remplace à nos côtés.

– Salut cousin. Je ne m'attendais pas à te voir ici ce soir.

– Louis, je dis en hochant la tête.

– Tiens, qu'avons-nous là ? demande-t-il en reluquant Kennedy.

– Kennedy Randolph, tu te souviens de mon cousin Louis, n'est-ce pas ?

Elle grimace comme si elle venait de sucer un citron pas mûr. Je prends ça pour un oui.

– Randolph, hein ? Je fricotais avec ta sœur, à l'époque. Claire… Tu lui ressembles. Comment va-t-elle ?

– Elle est mariée, rétorque-t-elle sèchement. Et très heureuse.

– Dommage, répond-il, avant de pointer son index sur moi et de renverser son scotch. En parlant de mariage, d'après ce que j'entends, je suis bien parti pour gagner mon pari.

Merde, je l'avais oublié celui-là.

Kennedy pâlit brusquement.

– Un pari ? chuchote-t-elle.

– Absolument, dit Louis. Grâce à toi, Brent va me devoir une bouteille de scotch à dix mille dollars. Je penserai à toi chaque fois que j'en boirai un verre, ajoute-t-il en lui faisant un clin d'œil.

Lorsqu'il est parti, Kennedy me tourne le dos. Je me penche sur elle et je siffle dans son oreille.

– Ne fais pas ça, ne t'avise pas de faire ça. C'était à la fête d'anniversaire chez mes parents, et il m'a parié que ma mère m'aurait marié avant la fin de l'année. C'est *tout*. Je te jure que je me couperais l'autre jambe plutôt que de te mentir.

Je la tourne vers moi et je découvre son regard hagard et plein de doutes. Elle cherche à être rassurée, or je ne sais pas bien comment faire.

– Est-ce que tu me crois ?

Elle inspire lentement.

– J'ai envie de te croire, mais… c'est dur.

Je pousse un juron et je l'empoigne par le bras.

– On y va.

Nous croisons Calvin en sortant, et je lui dis que Kennedy a une migraine et que nous n'allons pas pouvoir rester pour la soirée. Une fois dehors, je repère Harrison et je lui fais un signe de la main. J'installe Kennedy à l'arrière de ma voiture et j'appuie sur le bouton pour fermer la vitre qui nous sépare du compartiment du conducteur.

Pendant une minute, il règne un silence de plomb dans la voiture.

– S'il te plaît, ne sois pas en colère contre moi, dit-elle d'une petite voix.

– En colère contre *toi* ? j'aboie en riant. Chérie, je suis furieux contre l'abruti que j'étais quand j'étais plus jeune, j'aimerais revenir en arrière et lui mettre un coup de pied entre les jambes. Et je suis encore plus furieux contre le connard qui t'a fait un sale coup à la fac. Je lutte tous les jours pour ne pas le traquer et lui casser la gueule.

Je pose ma main à plat sur sa joue et je baisse d'un ton.

– Mais jamais je ne pourrais être en colère contre toi. Pas pour ça.

– Alors pourquoi on est partis ? demande-t-elle en fronçant les sourcils. Où est-ce qu'on…

– Tu n'as pas confiance en moi. Donc on va rentrer chez moi et je vais te faire l'amour jusqu'à ce que ce soit le cas.

C'est un plan génial, non ? Je trouve aussi.

– Ça… pourrait prendre un moment, dit-elle alors que son regard s'enflamme.

– Dans ce cas, c'est une bonne chose que mon endurance soit sans commune mesure. On va baiser jusqu'à ce que tu me fasses confiance, ou on mourra de faim.

– Harrison ne nous laissera jamais mourir de faim, dit-elle d'une voix haletante et excitée.

– Exactement.

◆◆◆

Deux jours plus tard, Kennedy est encore chez moi. Je la réveille par des baisers, et elle me dit que si elle a un énième orgasme, même un petit, elle va faire un arrêt cardiaque. J'ai pitié d'elle, donc je pars courir. Lorsque je reviens, elle est blottie sur un canapé dans mon salon, vêtue d'un de mes caleçons à carreaux bleus et blancs et d'un tee-shirt Green Lantern. Ses longs cheveux tombent en cascade sur son épaule tandis qu'elle tourne la page de son rapport en buvant une gorgée de café.

Une chaleur emplit soudain ma poitrine et mes doigts se mettent à picoter. La voir, là, me paraît… juste. Je suis fou de joie de la retrouver chez moi, vêtue de mes habits.

Je veux toujours être libre dans ma vie, c'est juste que je veux être libre *avec elle*.

Kennedy doit sentir mon regard sur elle car elle lève la tête.

– Tout va bien ?

– Ouais, tout est parfait, je réponds en hochant la tête et en souriant.

Je l'embrasse sur le dessus de la tête et je file à l'étage pour me doucher. Lorsque je sors de la salle de bain, une serviette autour de la taille, j'entends des voix au rez-de-chaussée. L'une appartient à Kennedy, l'autre est trop grave pour être celle de Harrison. Je descends les marches pour écouter alors que des gouttes ruissellent encore sur mon torse.

– … tu connais sa famille, mais il faut que tu comprennes qu'on est sa famille, nous aussi. Ne joue pas avec ses sentiments.

C'est Jake. Sa voix n'est pas menaçante, il se couperait la langue plutôt que de menacer une femme, mais il a une façon de présenter les choses qui sonne comme une mise en garde.

– Tu crois que je pourrais faire ça ? Jouer avec ses sentiments ? répond Kennedy d'un ton surpris.

– À voir la façon dont il s'est mis en quatre pour toi, ces dernières semaines… *absolument.*

Il y a un silence, et j'imagine l'expression de Kennedy, sa posture. Je la vois fermer légèrement les yeux pour étudier Jake et croiser les bras en se déhanchant, un peu comme elle le fait au tribunal.

– Tu es très protecteur envers lui, dis donc.

– Oui, répond Jake.

Kennedy passe soudain en mode défensif. Elle a presque l'air… vexée pour moi.

– Pourquoi ? Il n'a pas besoin de protection. Il s'occupe très bien de lui-même. Si tu crois l'aider en le traitant avec condescendance…

– Je ne doute pas que Brent soit capable de s'occuper de lui-même, interrompt Jake en riant. Il ne s'agit pas de ça.

– Alors de quoi s'agit-il ?

Jake marque alors une pause et je sais qu'il choisit ses mots avec précaution afin de traduire sa position au mieux.

– Je n'ai jamais eu de frère. Jusqu'à ce que je rencontre Brent et Stanton.

C'est le moment que je choisis pour les informer de ma présence, entrant dans le salon, toujours vêtu de ma simple serviette, ce que Jake n'apprécie pas.

– Bon sang, je n'ai pas envie de devenir aveugle, mec, et c'est ce qui arriverait si j'apercevais ta chose par erreur. Et si tu enfilais des vêtements ?

Je hausse les épaules et je passe un bras autour de Kennedy.

– Les vêtements sont inutiles, à ce stade. Qu'est-ce qui t'amène, mon grand ?

Il hausse un sourcil et je sens déjà son reproche arriver.

– J'ai essayé de t'appeler, ton téléphone est cassé ?

– Maman, tu as changé, je dis d'une voix moqueuse. Tu es allé chez le coiffeur ?

Il me répond par un doigt d'honneur.

– J'étais très occupé. Il y a eu beaucoup de sexe.

Kennedy pince mon torse, et ça fait mal.

– Félicitations, rétorque Jake froidement.

– Alors, que se passe-t-il, pourquoi une visite en personne ?

Je l'ai à peine vu au bureau de la semaine. Il a passé beaucoup de temps au tribunal à propos d'une affaire de meurtre pour laquelle il sort vraiment le grand jeu, parce qu'il est persuadé que son client est innocent. C'est un luxe à double tranchant auquel nous avons rarement droit.

– On organise un barbecue cet après-midi. Tu es invité, me dit-il avant de sourire à Kennedy. Et toi aussi.

◆◆◆

Kennedy et moi nous rendons donc chez Jake et Chelsea pour le barbecue. Leur maison, avec sa piscine creusée, son jardin magnifique, et sa cuisine d'été que Jake vient d'installer, est idéale pour ce type d'occasion.

Sofia sourit chaleureusement en se présentant à Kennedy, et le fait qu'elles soient toutes deux des femmes dans le milieu judiciaire prend le dessus sur l'animosité qui aurait pu régner après leur confrontation au tribunal, il y a quelques semaines. Le fait que Kennedy soit ici avec moi, et que je tienne à elle, doit aider, aussi.

Je présente Kennedy aux McQuaid, et le temps d'avoir dit bonjour à Riley, Rory, Raymond, Rosaleen, Regan, et Ronan, le plus petit de trois ans, je sens que je l'ai perdue.

Nous profitons du soleil, du ciel bleu et des bières, tandis que Jake pose devant nous un énorme plateau de burgers et de hot-dogs. Tandis que le brouhaha joyeux des enfants occupe l'autre bout de la table, Riley McQuaid s'assoit en face de moi en soupirant, le visage fermé, tandis qu'elle fusille Jake du regard. Un silence palpable s'installe entre l'adolescente et mon ami. C'est lourd et gênant, donc je dois m'en mêler.

– Tout va bien, entre vous ?

– Oui, répond Jake en mordant dans son burger.

– Si tu considères que c'est *bien* de vivre sous une dictature fasciste, alors ouais, je suppose que tout va bien.

– Fasciste ? C'est nouveau, ça.

– Ça a l'air juteux, comme histoire, je chuchote à Kennedy. Je croyais qu'on avait passé le stade de l'ado incomprise, je dis à Riley, et que tu étais désormais une jeune adulte responsable qui travaille. Que se passe-t-il ?

Riley et Jake deviennent silencieux, et Chelsea comble le blanc.

– Riley et Jake se sont disputés, hier. Elle a invité un ami. Un ami qui est un garçon. Dans sa chambre. Avec la porte fermée.

Tout devient clair.

– Tu as pété un câble ? je demande à Jake.

– Je ne pète jamais de câble, répond-il en haussant les épaules. Je suis juste allé chercher la visseuse dans le garage. Problème réglé.

– Réglé *comment* ? je demande en souriant, parce que je sais déjà que la réponse va être géniale.

– Il a enlevé ma porte ! s'écrie Riley. Je n'ai plus de porte ! J'ai seize ans, j'ai cinq petits frères et sœurs, et *je n'ai plus de porte !*

– Comme je l'ai dit, problème résolu, répète Jake.

– J'ai des droits, tu sais, rétorque Riley.

Jake sourit patiemment.

– Oui, c'est vrai, mais aucun ne stipule que tu *dois* avoir une porte. Ou une fenêtre, d'ailleurs. Ne l'oublie pas, ça non plus.

Riley grince des dents, mais elle se tait. Je parie que dans sa tête elle lui tire la langue –ou plutôt, qu'elle lui fait un doigt d'honneur.

– Allez, Riley, dit Stanton, ne râle pas. Ça pourrait être bien pire.

– Je ne vois pas comment, grommelle-t-elle en croisant les bras.

– Tu pourrais être Presley.

Stanton fait référence à sa fille de quinze ans, qui passe la plupart de son temps chez sa mère, dans le Mississippi. Elle envisage de venir à la fac sur la côte Est, et Stanton est fou de joie.

– Je lui ai écrit, l'autre jour, mais elle ne m'a pas répondu. Comment elle va ? demande Riley.

– Elle est dans sa chambre, sans Internet, sans télé, et sans téléphone, et elle en a pour un moment. Apparemment, elle a essayé de faire passer Ethan Fortenbury par la fenêtre de sa chambre en le faisant grimper au chêne.

Je vois Raymond, onze ans, froncer sévèrement les sourcils.

– Tu sembles étrangement serein, dit Jake, m'ôtant les mots de la bouche.

– Jenny et moi attendions ce moment depuis des années. On avait tout prévu. Ce petit con s'est pointé et il a trouvé Jenny au pied de l'arbre. Avec un fusil à pompe. Alors tu vois, chérie, ça pourrait être bien pire, dit Stanton à Riley.

– Vous ne nous comprenez pas, soupire Riley en secouant la tête.

– Au contraire, ils comprennent trop bien, c'est ça ton problème, je lui dis.

– J'adore ce genre d'histoire, dit Kennedy. On devrait traîner avec des adolescents plus souvent.

C'est la première fois qu'elle fait référence à nous ainsi. En tant qu'entité, en tant que couple, et je trouve ça merveilleux.

– *On* devrait ?

Elle sourit jusqu'aux oreilles et mon estomac fait un saut périlleux.

– Oui, on devrait.

Nous nous regardons pendant plusieurs minutes, comme le font les couples nouveaux, dans notre bulle de joie coupée du monde, jusqu'à ce que le petit Ronan la fasse éclater.

– Papa !

Il se jette sur les genoux de Jake, sans peur, confiant dans le fait que des bras musclés l'attraperont.

– Monte, Papa, monte !

Sans se lever, Jake prend le gamin dans ses bras et le jette au-dessus de sa tête, l'attrapant alors que le môme hurle de rire. Le sourire de Jake est tout aussi grand et rayonnant, et un mélange de joie et de jalousie s'empare de moi. Il repose Ronan par terre et celui-ci part vers la balançoire. Ayant mangé en un temps record, les autres gamins partent eux aussi en courant, nous laissant tous les six à table.

– *Papa*, hein ? demande Stanton.

Jake se tourne vers Chelsea et ses yeux se liquéfient devant le regard plein d'amour qu'elle ne garde que pour lui.

– Oui.

– C'est arrivé quand ? je demande.

Chelsea pose sa petite main dans celle de Jake, et elle nous explique.

– Le week-end dernier, Regan et Ronan nous ont demandé de nous asseoir pour parler.

– C'est surtout Regan qui a parlé, interrompt Jake, mais Ronan a beaucoup hoché la tête.

– Ils nous ont dit qu'ils savaient que Robbie et Rachel étaient leurs parents, poursuit Chelsea, et qu'ils savaient qu'ils étaient au paradis, mais qu'ils ne se souvenaient pas d'eux, pas comme les autres enfants s'en souviennent. Ils nous ont dit ensuite que tous leurs amis avaient des mamans et des papas…

Lorsqu'elle s'interrompt, Jake prend le relai.

– Et ils nous ont demandé si on voulait bien être leur maman et leur papa.

– Waouh, marmonne Stanton alors que les yeux de Sofia sont remplis de larmes.

– Ouais, soupire Chelsea.

– Tu as pleuré ? je demande à Jake.

Je n'ai pas honte d'admettre qu'à sa place, face à ces deux adorables petites tronches rondouillettes, j'aurais chialé comme une madeleine.

– Je n'en étais pas loin, avoue-t-il.

– Moi j'ai pleuré comme un bébé, dit Chelsea en levant la main.

Je hoche la tête et je mets un coup de coude à l'armoire à glace à côté de moi.

– Alors tu es officiellement papa, maintenant ?

– On dirait, oui, répond-il en souriant humblement.

– C'est génial, mec.

– Je trouve aussi.

◆◆◆

Un peu plus tard, Rory arrive en courant à notre table avec un ballon dans les mains, suivi de près par son frère jumeau, Raymond.

– On fait une balle au prisonnier. Vous voulez jouer ?

– Avec plaisir, je suis le champion de la balle au prisonnier.

– Cool, répond Rory.

Raymond, habituellement affreusement timide, ajuste ses lunettes et fixe des yeux la belle blonde à mes côtés.

– Tu veux jouer dans mon équipe, Kennedy ?

– Carrément.

– Beurk, pourquoi tu l'as choisie *elle* ? je demande en grimaçant. C'est une fille, et elle *lance* comme une fille. Je sais de quoi je parle, crois-moi.

Raymond hausse les épaules.

– Elle est plus jolie que toi. Et puis, tu l'aimes bien, donc tu seras sans doute indulgent avec elle.

– Alors ça, ce n'est pas une mauvaise stratégie, Raymond.

– C'est mon truc, la stratégie.

Kennedy se lève et prend la balle des mains de Rory, la faisant tourner dans ses mains en me défiant du regard.

– Mes lancers de fille suffisaient à te battre, à l'époque.

– Bah, tu parles, je te laissais gagner. Même à onze ans, j'étais un gentleman.

Elle ricane et se baisse pour m'embrasser, mais elle s'arrête à deux centimètres de ma bouche.

– Et à trente-deux, tu es un menteur.

Je suis le point de m'emparer de sa bouche quand Rory me bloque.

– Mec, pas de bisous. Je dois en supporter assez avec ces deux-là, dit-il en désignant Jake et Chelsea, qui ne semblent pas se sentir coupables du tout.

Pauvre gamin. Il doit entendre des choses affreuses dans leur chambre.

– Je joue aussi, dit Sofia. J'adore la balle au prisonnier.

Rory lève brusquement la tête et il fronce les sourcils en regardant son ventre rebondi.

– Tu es folle ? Tu devrais plutôt te reposer.

– Merci ! s'exclame Stanton en fusillant sa femme du regard. Et c'est un gamin qui le dit !

Cependant, Sofia ne se fait pas avoir si facilement. Elle se rapproche de Rory et parle d'une voix menaçante.

– C'est Stanton qui t'a dit de dire ça ?

– Non, répond le gamin en souriant. Jake m'a filé cinq dollars pour le placer dans la conversation. Mais même si ce n'était pas le cas, tu ne pourrais quand même pas jouer. Je ne vais pas jeter une balle sur une femme enceinte.

Rosaleen arrive en courant sur la terrasse, prend la balle des mains de Kennedy et console Sofia.

– Tu peux être l'arbitre, dit-elle avant de désigner Regan. Surveille-la, celle-là. Elle triche.

Regan, cinq ans, tape du pied en fronçant les sourcils.

Ronan court sur Rosaleen, cognant son front dans son ventre, tendant les bras pour attraper la balle.

– Moi !

– Tu ne peux pas jouer, Ronan, tu es trop petit.

Son petit visage plein de taches de rousseur rougit brusquement.

– *Moi !*

Jake le prend dans ses bras et le pose sur son épaule.

– Allez viens, mon pote. Nous, on va faire un jeu pour les vrais mecs.

Cependant, Ronan ne se laisse pas amadouer et, alors qu'ils s'éloignent, il continue de hurler sa colère.

– Moiiiiiiiii !

◆◆◆

L'équipe de Raymond et Kennedy finit par nous mettre une raclée. Nous avons perdu deux joueurs quand Riley est partie répondre à un coup de fil « urgent » et que Regan a été virée parce qu'elle contredisait l'arbitre.

J'aurais pu toucher Kennedy deux fois, mais mon instinct de compétition et ma queue se sont affrontés dans ma tête, et c'est ma bite qui a gagné. Parce qu'elle savait qu'on serait récompensés plus tard. Et puis… regarder son petit cul dans son minishort était si beau que je n'ai pas réussi à l'interrompre.

Rory m'a traité de lâche, et il avait parfaitement raison. Mais je suis un lâche qui va baiser, donc j'assume.

Plus tard, après que j'ai jeté Kennedy dans la piscine et qu'elle a fait de son mieux pour me noyer, puis que les gamins ont tous fait une bombe dans la piscine et que nous avons fait une intense partie de Marco Polo, nous avons pris congé et nous sommes partis.

Je gare la voiture devant chez moi et je coupe le moteur. Les yeux de Kennedy sont fatigués et comblés, et ses joues et son nez sont roses après des heures passées au soleil. Ses cheveux sont attachés dans un chignon fouillis, et quelques mèches tombent sur ses joues. Elle est si belle que c'en est presque effrayant. Elle est encore plus belle que la première fois que je l'ai revue dans sa robe rouge, et je ne pensais pas que c'était possible.

– Tu ne vas même pas me demander si je veux rentrer chez moi ? demande-t-elle en souriant et en haussant un sourcil. C'est un peu présomptueux, non ?

Je sors de la voiture, j'en fais le tour, et j'ouvre sa portière. Elle prend ma main et je l'attire immédiatement dans mes bras.

– Ben… tu dois te doucher, je dois me doucher, il y a des restrictions d'eau à cause de la sécheresse…

– En Californie.

Lentement, je baisse la tête pour effleurer ses lèvres.

– Mais on doit tous contribuer…

Je la sens sourire contre ma bouche.

– Tu parles comme mon oncle Jameson.

Alors *ça*, ça me perturbe. D'après mes souvenirs, son oncle était un mélange du maréchal Pétain et de Patrick Sébastien, une sorte de bon vivant autoritaire auquel je ne veux pas qu'elle pense quand je l'embrasse.

Je laisse tomber mon mensonge pourri et je lui dis la vérité.

– Je me fiche des économies d'eau.

Je promène mon nez dans son cou, grattant sa clavicule avec ma barbe, laissant une nuée de chair de poule sur mon passage.

– Je veux juste te baiser sous la douche jusqu'à ce qu'aucun de nous ne puisse plus tenir debout, je chuchote dans son oreille avant de la lécher. Est-ce que c'est mal ?

Lorsqu'elle répond, sa voix est tremblante.

– Au contraire, ça me semble très… juste.

Je l'attire à mes côtés et je lui mets une claque sur la fesse.

– Alors on s'y colle tout de suite.

◆◆◆

Le lendemain matin, la première chose dont je suis conscient, avant d'ouvrir les yeux, c'est la sensation de lèvres douces et souriantes sur ma joue, d'un souffle chaud chatouillant ma gorge, et de longs cheveux sur mon épaule.

Cette fois-ci, ce n'est pas le chat.

Kennedy enfouit son visage dans le creux de mon cou et respire mon odeur. J'étire mes bras au-dessus de ma tête et je nous fais rouler de sorte qu'on soit face à face et qu'elle soit dans mes bras. Je l'embrasse comme il se doit sur la bouche, malgré mon haleine matinale.

Je remarque alors l'heure qu'il est : le soleil est levé, mais tout juste.

– Je dois aller au bureau, répond-elle.

Je lisse ses cheveux et je plaque son visage contre mon torse pour qu'elle arrête de dire des bêtises.

– Chut, tu fais un mauvais rêve. Rendors-toi.

– Brent, dit-elle en riant. Je n'ai pas du tout travaillé hier. Il faut vraiment que je rattrape mon retard.

Je grogne pour lui signifier mon mécontentement, et Kennedy m'apaise en me caressant et en m'embrassant tendrement.

– Je reviens ce soir. Mais j'amène les garçons avec moi.

J'entrouvre un œil.

– Ils ont à boire et à manger. Les chats n'ont besoin de rien de plus, je réponds.

– Ils ont besoin d'amour, et d'attention, insiste-t-elle.

– Les chats *détestent* l'amour et l'attention. Ils sont trop bien pour ça.

– Pas les miens, répond-elle en riant. Je les ai négligés, et si ça doit marcher entre nous, je ne veux pas qu'ils t'en veuillent.

Cette femme est vraiment très douée pour les conclusions.

– Très bien, les chats peuvent venir.

Elle dépose un baiser sur mon sternum et elle se lève.

Apparemment, je me rendors, car lorsque je rouvre les yeux, Kennedy est habillée. Ses seins désormais couverts sont pressés contre mon dos et elle me chuchote un « À ce soir » avant de m'embrasser dans la nuque.

– Ciao, je t'aime…, je marmonne, encore à moitié endormi.

◆◆◆

Il est douze heures passées quand je sors enfin du lit. C'est très inhabituel, pour moi. Ma seule excuse, c'est que Kennedy était surexcitée hier soir et qu'elle m'a épuisé. Quelques heures et une canette de Red Bull plus tard, j'ai assez d'énergie pour courir, alors je file faire mon footing préféré près du National Mall.

Je rentre chez moi en marchant et en souriant comme un abruti, parce que je pense à la petite blonde qui me tient comme un chien en laisse. J'ai hâte de l'entendre râler à propos de sa journée, de la regarder manger, de l'écouter rire. Elle a un rire génial.

Bon sang, je suis pathétique.

AFFAIRE NON CLASSÉE

Quand j'arrive sur mon perron, j'y trouve Jake, Stanton et Sofia. Ils ont l'air bien trop sérieux pour un dimanche après-midi.

– C'est quoi ces tristes mines ? Quelqu'un est mort ? je dis en plaisantant.

Aucun des trois ne sourit et un frisson glacial parcourt mon échine.

Stanton fuit mon regard et Jake m'étudic, tendu, comme s'il anticipait ma réaction. Sofia fait un pas vers moi.

– Brent, mon chéri… il est arrivé quelque chose…

18

Les portes automatiques des urgences s'ouvrent et je fonce au bureau d'accueil.

– Kennedy Randolph, s'il vous plaît.

Derrière son bureau, la jeune femme ouvre légèrement la bouche avant de la refermer.

– Euh… Il n'y a pas de Kennedy Randolph, ici.

Elle ment. Même si elle n'était pas si mauvaise, mon boulot implique de savoir repérer les signes que quelqu'un ment.

Un des contacts de Jake, un détective privé, l'a appelé ce matin après que la scène s'est déroulée sous ses yeux. Il a vu Kennedy monter dans une voiture noire avec des plaques diplomatiques, et quelques dizaines de mètres plus loin, à une intersection, il a vu un quatre-quatre foncer sur sa voiture et la retourner. Des coups de feu ont été tirés, le FBI est venu. Les pompiers aussi, avec leurs sirènes et leurs gyrophares.

Il a aussi vu des housses mortuaires.

C'est donc un soulagement que la réceptionniste me mente – ça accroît les chances que Kennedy n'était pas dans l'une de ces housses. En tout cas, qu'elle ne l'était pas en arrivant.

– Je sais qu'elle est ici, je dis en me penchant sur le comptoir, et je sais pourquoi vous me dites qu'elle ne l'est pas…

Ma voix est rauque et je serre les poings, frustré, paniqué, sur le point de fouiller tous les recoins de l'hôpital pour la trouver, ou alors de partir à la recherche des connards qui ont osé lui faire ça.

– Vous devez me laisser la voir.

Avant même qu'elle n'ait ouvert la bouche, je sais ce qu'elle va dire.

– Monsieur…

– Je suis son mari.

Ce n'est pas un mensonge très malin, il est trop facile à vérifier. Mais au moins elle me laissera entrer, ou voir un de ses supérieurs que je pourrai convaincre de me laisser entrer.

– Un instant, s'il vous plaît, dit la jeune femme d'une voix plus douce.

Elle prend le téléphone et me tourne le dos pour chuchoter dans le combiné.

Stanton, Sofia et Jake me regardent faire les cent pas, mains jointes derrière la nuque, crispé des pieds à la tête. Après quelques minutes, un homme à la mâchoire carrée, vêtu d'un jean décontracté et d'une chemise bleue, émerge d'une porte menant à l'antre de l'hôpital. Son visage est délibérément impassible, mais son regard est vif et observateur.

– Je peux vous aider ? demande-t-il.

– Kennedy Randolph…

– N'est pas là, répond-il.

– Je sais que si.

– Non, vous ne savez pas.

– Je suis son…

– Non, vous ne l'êtes pas.

Il me faut tout mon self-control pour ne pas l'empoigner par le cou et l'étrangler jusqu'à ce qu'il crache le morceau.

– Vous êtes du FBI ? Vous étiez censés la *protéger*. Vous avez fait du super boulot, mon pote !

– Je n'ai pas d'information à vous donner. Il est temps que vous partiez. Maintenant.

– Est-ce qu'elle est en vie ? je demande d'une voix torturée. Dites-moi au moins si elle est en vie, bon sang.

Je me fiche du reste, de ses cheveux, de son visage, de ses bras, de ses jambes, je l'aimerai sans tout ça. Du moment qu'elle respire encore. Du moment qu'elle est encore elle-même.

Cet enfoiré ne lâche rien.

– Les informations sur un dossier ouvert ne peuvent être données qu'à la famille proche. Je ne confirme pas qu'un dossier *est* ouvert, je dis simplement que si c'était le cas, vous *n'êtes pas* sa famille proche. Donc je n'ai rien pour vous. Je ne vous redirai pas de partir.

Je fais un pas en avant pour planter mon visage devant le sien, mais Sofia saisit mon bras et me tire en arrière.

– Viens, Brent. Cela ne va pas arranger la situation. On s'en va.

Je la laisse m'emmener dehors sur le trottoir.

– Putain ! je hurle en me frottant les yeux. Bordel de merde !

Est-ce que c'est ce qu'ont vécu mes parents après mon accident ? Pendant qu'ils attendaient que le médecin vienne pour leur dire si je m'en étais sorti ? J'ai l'impression d'avoir un tisonnier planté dans les côtes, appuyant contre mon ventre, mes poumons, mon cœur, me brûlant vif, lentement, depuis l'intérieur.

Mes bras tombent le long de mon corps et je tourne les talons.

– Je retourne parler à cet agent. Je vais l'obliger à…

– Tu te feras arrêter, dit Stanton en s'interposant. Ce n'est pas la solution, mec.

Jake pose une main sur mon épaule et me parle d'une voix claire et calme.

– Brent, ressaisis-toi. Tu as des ressources : respire un coup et appelle-les.

J'ai toujours détesté les connards qui se servent de leur fric et de leur réseau pour exercer leur influence, et croyez-moi, j'en ai connu beaucoup. Toutefois, je n'ai jamais autant aimé mon nom de famille qu'en cet instant, parce qu'il ouvre des portes.

J'écoute Jake et je sors mon téléphone.

– Papa, j'ai besoin de ton aide. Est-ce qu'on connaît quelqu'un au U.S. Marshal Service [13] ?

Il répond et je hausse les sourcils.

– Le directeur ? C'est pratique, ça. Tu peux l'appeler de ma part ?

◆◆◆

Dix minutes plus tard, le cow-boy revient dans la salle d'attente.

– Brent Mason.

---

13. Agence de police fédérale du département de la Justice.

Nous nous mettons tous les quatre debout mais il lève une main pour nous arrêter.

– Seulement *vous*, dit-il.

Je suis immédiatement enveloppé par les bras de Sofia.

– Appelle-nous dès que tu peux, dis-nous comment elle va.

– Promis.

– Dis-nous si on peut faire quoi que ce soit, dit Stanton en me tapant dans le dos alors que Jake serre mon épaule.

– Merci.

Je prends l'ascenseur avec le super flic, et les portes sont à peine fermées qu'il se tourne vers moi.

– Elle va bien, dit-il.

Tout l'air s'échappe de mes poumons, comme si cela faisait des millénaires que je retenais mon souffle, attendant d'entendre ces mots.

– Elle a un bras cassé, deux côtes fêlées, quelques contusions sur le visage, mais rien de sérieux.

Ok. Elle est blessée, mais elle va guérir. Je l'aiderai à guérir. *Merci mon Dieu.*

L'ascenseur commence à monter et je sens son regard sur moi.

– Mon chef a appelé, il m'a dit que je devais vous laisser monter immédiatement.

– Oui, j'imagine.

– Il a dit que le directeur l'avait appelé personnellement.

– Oui, c'est à peu près ça.

– Vous êtes qui, bon sang ?

Je n'ai qu'une seule réponse à lui donner. Je baisse ma voix et je le regarde dans les yeux.

– Je suis Batman.

Il me décoche un sourire.

Les portes s'ouvrent au dixième étage et il m'accompagne au bout du couloir. Il y a quelques agents ici et là, mais seule une porte est gardée par un type armé. Ils se saluent par un hochement de tête, et l'agent m'ouvre la porte.

J'entre et je referme la porte derrière moi. Les lumières sont tamisées et les stores sont fermés. Kennedy est allongée dans le lit, un bras plâtré en écharpe. Je reste là une minute, à la regarder, me rappelant qu'elle est en vie, notant le moindre bleu sur elle, la moindre coupure. Son visage est affreux : sa lèvre inférieure est fendue au milieu et couverte de sang coagulé, sa joue gauche est ouverte comme si elle avait été râpée sur du goudron et elle commence à noircir ; son œil gauche est gonflé et complètement fermé ; et elle a une ligne de points de suture tout en haut du front.

– Tu es là, dit-elle d'une voix rauque.

Je m'assois sur le lit et je pose ma main sur sa mâchoire, là où elle n'a rien. Elle s'appuie dans ma paume et ma gorge se resserre à tel point que j'ai du mal à parler.

– Comment te sens-tu ?

Elle essaie de sourire, mais sa lèvre l'en empêche. Son œil ouvert me regarde tendrement.

– Je vais bien.

Je passe délicatement mon autre main dans ses cheveux, sur son épaule puis sur sa poitrine, où je me délecte de sentir battre son cœur. Je déglutis difficilement et les larmes brûlent mes yeux, parce que c'est ma Kennedy et qu'elle est blessée. J'aurais pu la perdre. Pour de bon.

– Bon sang, Kennedy… laisse-moi…

Je ne parviens pas à terminer ma phrase. Au lieu de cela, je la tire dans mes bras et j'enfouis mon visage dans son cou, respirant sa peau douce qui sent la pêche malgré les antiseptiques de l'hôpital. Elle tremble, alors je caresse ses cheveux et je frotte son dos, la berçant lentement dans mes bras, mes lèvres sur sa tempe.

Elle restera à jamais en sécurité dans mes bras s'il le faut, mais je m'assurerai que plus rien ne lui arrivera.

– Ils ont percuté la voiture à toute vitesse, chuchote-t-elle contre mon épaule en s'agrippant à mon biceps. Je n'avais pas mis ma ceinture et on a été renversés sur le côté. J'ai vu leurs pieds, je savais qu'ils venaient pour moi.

Je la serre plus fort et je dois me retenir de trop forcer, pour ne pas lui faire mal.

Sa voix devient tremblante et j'entends ses larmes.

– La seule chose que j'avais en tête, c'est que je ne te reverrais plus jamais, dit-elle en reculant pour me regarder dans les yeux. Que je n'aurais jamais la chance de te dire que… je t'ai toujours aimé… mais jamais autant que je ne t'aime maintenant, finit-elle en pleurant à chaudes larmes.

J'essuie ses larmes avec mon pouce et je l'embrasse délicatement, effleurant à peine sa lèvre supérieure.

– Je t'aime, je lui dis d'une voix ferme et pleine d'assurance.

Je l'attire de nouveau contre moi et je l'embrasse sur la tête.

– On va avoir tout le temps de se le dire, Kennedy. Des milliers de jours pour se le montrer. Ça va être répugnant.

Elle rit, et je sais enfin qu'elle va bien.

◆◆◆

Un peu plus tard, une fois que l'infirmière lui a apporté des antidouleurs et du jus de pomme, je lui demande ce qui est arrivé aux connards qui ont essayé de la tuer.

– Les agents leur ont tiré dessus. Ils sont morts.

– Tant mieux, je dis d'une voix lugubre.

Je prends la brique de jus de pomme vide de ses mains et je la pose sur la table. Elle se recouche sur l'oreiller avec un air endormi – les médicaments font leur job.

– Tu peux m'appeler *malabar*, avec tous mes bleus, dit-elle en se touchant la joue. Le voilà, ton surnom.

– Un malabar c'est quelqu'un qui *donne* des bleus, pas celui qui les *reçoit*.

– Je sais, c'était une blague, dit-elle en caressant ma joue. C'est trop tôt pour en rire ?

– Ce sera toujours trop tôt pour en rire, Kennedy.

Elle est sur le point de répondre lorsqu'une voix ferme nous parvient à travers la porte.

– Vous pensez que j'en ai quelque chose à faire, des protocoles de l'hôpital ? Je me fiche qu'elle ait déjà de la visite, je veux voir ma fille, maintenant !

– Oh non, chuchote Kennedy en fermant les yeux.

– Écartez-vous de mon chemin, sinon les conséquences seront sévères, jeune homme.

– Oh *non*.

Mitzy Randolph entre dans la chambre, l'air étrangement hagard dans son chemisier débraillé et son jean noir. Ses perles sont de travers et ses cheveux s'échappent de son chignon. Je n'ai jamais vu Mitzy coiffée autrement que parfaitement – j'ai toujours supposé que ses mèches avaient trop peur de bouger.

Tel un garde du corps, je me lève, mais je ne quitte pas ma place à côté de Kennedy. Que Mitzy soit sa mère ou non, si j'entends la moindre insulte, même sous-entendue, je vais péter un câble.

– Bonjour, mère, dit Kennedy d'une voix calme.

Mitzy respire vite en étudiant les traits boursouflés et rougis de sa fille. Elle avance lentement, comme si elle était en transe.

– Oh, Kennedy, ton beau visage.

– Ça va, ce ne sont que des bleus. Il n'y a rien de permanent, aucune cicatrice.

Les lèvres de sa mère tremblent et ses yeux se remplissent de larmes qui finissent par couler lentement le long de ses joues. Je n'ai jamais vu Mitzy pleurer, et à voir son visage, Kennedy non plus.

– Ma pauvre fille chérie… qu'est-ce qu'ils t'ont fait ? dit-elle d'une voix tremblante.

Le visage de Kennedy s'adoucit et elle a presque l'air désolée, tout en étant ravie que sa mère tienne suffisamment à elle pour être dans cet état.

– Ne t'inquiète pas, je vais bien, vraiment.

Sa mère secoue la tête et pleure en silence.

– Je vais faire un tour dehors, je chuchote.

Kennedy hoche la tête et me regarde d'un air reconnaissant.

Je les observe un instant avant de refermer la porte. Pour certaines personnes, c'est ainsi que ça marche. Il faut qu'elles soient confrontées à la possibilité de perdre quelque chose pour se réveiller et comprendre combien cette chose compte pour elles.

Mitzy caresse les cheveux de sa fille en la regardant comme si elle la voyait *enfin* – et pas seulement comme jusqu'à maintenant, à exiger tout ce qu'elle aurait voulu qu'elle soit.

Il était grand temps.

◆◆◆

Dans le couloir, je repère l'agent qui m'a escorté à la chambre de Kennedy et je lui fais signe de venir.

– Vous pensez qu'ils vont réessayer ?

– Du moment que Mariotti propose du fric à celui qui réussira… sans doute, oui.

Je hoche la tête et je sors une carte de visite sur laquelle je note mon adresse.

– Tenez. Quand vous mettrez en place vos nouvelles mesures de protection, faites-le à cette adresse. Lorsqu'elle sortira d'ici, elle va rentrer chez moi, et elle va y rester.

19

Je garde Kennedy au lit pendant les trois jours suivants.

Hélas, ce n'est pas aussi folichon que cela peut sembler, parce qu'elle a des bleus et des courbatures partout et que ses antidouleurs la font dormir. Je m'occupe d'elle en regonflant ses oreillers, en lui faisant à manger. Enfin, *Harrison* fait à manger, mais c'est *moi* qui lui apporte. Je l'aide aussi à se laver, ce qui est un véritable enfer.

Avec deux côtes fêlées, le sexe est impossible. Je ne peux même pas la faire jouir avec ma bouche, parce que l'orgasme lui procurerait autant de mal que de bien. Elle me dit que ça en vaut la peine, mais je reste ferme.

Jusqu'au cinquième jour, quand cette petite diablesse prend les choses en main. *Littéralement.* Nous sommes au lit, il fait nuit et tout est calme autour de nous. Soudain Kennedy se met à décrire en détail tout ce qu'elle veut que je lui fasse et toutes les choses qu'elle a hâte de me faire. Ensuite, elle me supplie de lui montrer – de prendre ma queue dans ma main et de me faire jouir. *Sur elle.*

Mes résistances se sont écroulées comme un pauvre château de cartes : j'ai cédé.

Sur les genoux, dressé au-dessus d'elle, je halète et je grogne, imaginant que c'est sa main qui me caresse. Or sa main est entre ses propres jambes, en train de frotter son clitoris, plongeant et ressortant ses doigts trempés dans sa chatte. Je jouis sur ses seins, et elle me montre qu'elle est suffisamment guérie pour supporter un orgasme.

Bien évidemment, je passe une bonne partie du sixième jour avec ma bouche sur son sexe, histoire de rattraper le temps perdu.

Cependant, une fois arrivée au septième jour, Kennedy est remontée à bloc. Elle en a assez de la télé et elle est trop énervée pour travailler. J'appelle donc les renforts et j'invite la troupe à dîner. Harrison part surveiller les monstres McQuaid pour que Jake et Chelsea puissent venir, et Stanton et Sofia arrivent accompagnés d'un ventre proéminent. Brian et Vicki viennent aussi et je les présente au reste du groupe.

Nous mangeons des pizzas dans la salle à manger, et après dîner nous passons dans le salon, où les mecs regardent le match pendant que les filles parlent de la fête de la future mariée.

– Ce sera un brunch, explique Sofia à Kennedy. Rien d'énorme, parce que Jake et Chelsea sont associables.

– Ha ! s'exclame Chelsea en souriant. Attends de voir si vous serez sociaux, Stanton et toi, après la naissance de votre petite boule de joie. Ensuite, multiplie ça par six.

– Il faut vraiment que vous veniez, dit Sofia à Kennedy et Vicki. Ça va être génial. On boira des mimosas et on jouera à un loto coquin. Comme ils ont déjà tout ce qu'il faut pour leur maison, tout le monde offre de la lingerie.

Le regard de Jake s'illumine.

– Oui, venez, *vraiment*. Plus il y en aura, mieux ce sera – pour *moi*.

– C'est quand ? demande Kennedy en ouvrant l'application de son agenda sur son téléphone.

– Le vingt-trois.

– Mince, je ne pourrai pas être là, je serai à Vegas pour le procès.

– De quoi tu parles ? je demande, sentant mon sang se glacer.

Kennedy croise mon regard à travers la pièce et elle me répond aussi calmement que si elle m'annonçait la météo de la semaine.

– Le procès commence dans deux semaines. Ils s'occupent des motions préliminaires sans moi, mais il faut que je parte dans quelques jours.

Je pose ma bière sur la table et je concentre toute mon attention sur elle.

– Mais… tu ne t'occupes plus de ce procès.

– Bien sûr que si, répond-elle en fronçant les sourcils. Pourquoi pas ?

– Tu es blessée, je dis en désignant son bras cassé et son œil gonflé.

– Non, je *guéris*. D'ici au début du procès, tout sera revenu à la normale, sauf mon plâtre.

Mon cœur bat la chamade, prêt à jaillir de ma poitrine.

Je me lève, parce que j'argumente mieux quand je suis debout et que j'ai le sentiment que cette conversation va finir en dispute.

– Kennedy… c'est… c'est dingue, putain. Est-ce que la commotion cérébrale t'a rendue stupide ?

– Je te demande pardon ?

– Il a essayé de te *tuer* !

Elle se lève lentement, le dos rigide et les épaules en arrière.

– Mais il a échoué. Et c'est *mon* affaire.

– Ils désigneront un autre procureur.

– Non, parce que je ne les laisserai pas faire. Mariotti essaie de me faire peur et je ne vais pas lui donner cette satisfaction. Il ne m'enlèvera pas ce procès.

J'appuie mes index sur mes tempes et je hausse le ton.

– Bon sang, Kennedy, ce n'est pas la brute de la cour d'école, c'est un putain de psychopathe qui a les moyens de te mettre une balle dans la tête. Et toi, tu vas aller sur *son* territoire et lui en donner l'occasion ? Autant dessiner une cible sur ta tête !

Je dois avoir l'air aussi paniqué à l'extérieur que je le suis à l'intérieur, parce que sa posture se détend et qu'elle parle d'une voix calme.

– Ça va aller, dit-elle en tendant le bras pour caresser mon front.

– Tu n'en sais rien ! je m'exclame en reculant brusquement le visage. Des choses horribles arrivent tout le temps ! Sofia s'est retrouvée dans un accident d'avion, tu le savais ? Avec toute sa famille – c'est purement par chance qu'ils ne sont pas morts. Et le frère de Chelsea rentrait tranquillement en voiture avec sa femme quand ils ont été tués, Kennedy. Ils avaient six enfants qui avaient besoin d'eux et ils sont morts.

Je me frotte la nuque et je passe ma main sur mon visage, essayant de ne pas complètement m'effondrer.

– Et moi je n'étais qu'un gamin, un pauvre môme qui a perdu sa jambe sans raison. Des choses affreuses arrivent même quand on fait attention, même quand on ne les mérite pas.

– C'est mon travail, Brent.

– C'est un travail dont tu n'as pas besoin ! Tu as déjà plus d'argent sur ton compte en banque que tu n'en gagneras au cours de ta carrière.

– Ce n'est pas ça qui compte…

– Je comprends, crois-moi. Tu as pris ce travail parce qu'il te fallait un but dans la vie, une raison de te lever le matin. Mais je suis là, maintenant, je dis en saisissant ses épaules et en la regardant dans les yeux. On peut être notre raison mutuelle.

Elle me regarde comme si je lui brisais le cœur, ou plutôt, comme si son cœur se brisait pour moi, ce qui n'est pas la même chose.

– Mais tu *es* ma raison. Et tout ce dont je rêve c'est d'être la tienne, répond-elle en posant sa main sur mon cœur. Mais je dois aller au bout de cette affaire.

Bon sang !

Quelque chose en moi cède, parce qu'elle n'écoute pas. Elle est trop têtue, et si je n'arrive pas à la faire changer d'avis, elle pourrait se faire tuer.

– Si tu y vas, c'est fini entre nous, je dis froidement.

– Brent…, gronde Jake.

Kennedy tressaille, puis elle étudie mon visage, cherchant le signe que je bluffe.

– Tu ne penses pas ce que tu dis.

– Si, je le pense. Je ne vais pas rester ici à devenir fou en m'inquiétant pour toi. Je ne vais pas passer le reste de ma vie en deuil après que tu te seras fait tuer. Si tu fais ça, c'est fini.

Une petite voix lointaine qui ressemble à celle de Charlie me dit que ce que je fais est mal et que c'est manipulateur. Mais je lui dis d'aller se faire foutre parce que je fais ça pour la garder en sécurité.

– J'ai fait des promesses à des gens, Brent.

Son visage est plein de souffrance, peut-être même de peur, comme si je n'avais pas juste abîmé son armure mais que je la lui avais arrachée, la rendant véritablement vulnérable.

Cependant, je ne vais pas me sentir coupable pour cela.

– Alors romps-les. Des promesses sont rompues tous les jours, c'est la vie.

– Il y a des personnes qui ont risqué leur vie pour témoigner contre Mariotti, qui devront être protégées jusqu'à leur mort et qui ont dû changer de nom parce que je leur ai tenu la main en leur disant que c'était la bonne chose à faire. Parce que j'ai promis de le faire mettre derrière les barreaux. Et maintenant… tu veux que je leur tourne le dos parce que les choses deviennent un peu difficiles ?

Mon visage est de marbre, figé, comme une statue de glace.

– Oui. Je veux que tu leur tournes le dos et que tu coures dans l'autre sens.

Elle secoue lentement la tête.

– Je n'arrive pas à croire que tu m'obliges à choisir.

– Eh bien si. Et si ça fait de moi un connard, je m'en fous. Je te demande de choisir, et je te supplie de me choisir *moi*.

La pièce est plongée dans le silence. Je crois que tout le monde retient son souffle.

Kennedy prend mon visage dans ses mains et me regarde dans les yeux.

– Je t'aime, Brent, chuchote-t-elle. Je t'aime *sincèrement*, et je sais que tu m'aimes. Mais je ne serais plus la femme que tu aimes si je ne fais pas ça. Si on pouvait juste…

Je n'entends pas la suite parce que je suis déjà à la porte d'entrée, que je claque derrière moi. Je parcours la ville pendant une heure, ou trois, parce que j'ai peur de ce que je dirai si j'y retourne trop tôt. Cependant, lorsque je rentre enfin, je n'ai plus à m'inquiéter pour ça.

La maison est plongée dans le noir et dans le silence.

Kennedy est partie.

20

– Vous trouvez ça normal, vous ?

Tôt le lendemain matin, les yeux de Charlie me suivent dans la pièce comme un spectateur à Wimbledon. Je fais les cent pas devant lui en lui racontant mot pour mot ma dispute avec Kennedy. J'ai à peine dormi, cette nuit, j'étais trop occupé à la rejouer dans ma tête et à attendre qu'elle m'appelle. Qu'elle me dise qu'elle avait retrouvé ses esprits et qu'elle lâche l'affaire Mariotti.

Cependant, mon téléphone est resté silencieux.

Charlie se racle la gorge et je tourne la tête vers lui.

– Tout au cours de votre diatribe, vous n'avez pas dit un seul mot du point de vue de Kennedy. Est-ce que vous avez pensé ne serait-ce qu'une seconde à ce qu'elle doit ressentir en ce moment ?

– Non, je rétorque sur un ton acerbe.

J'ai été trop occupé à être furax pour analyser ce qu'elle ressent au sujet du fait que je suis furax.

– Alors examinons cela, dit Charlie en hochant la tête. C'est Kennedy qui a été attaquée et qui est blessée. C'est elle qui vous a ouvert son cœur après que vous vous êtes battu si fort pour regagner sa confiance. C'est elle qui vous a cru quand vous lui avez clamé votre amour. C'est elle qui vous a regardé lui tourner le dos quand vous avez été face à votre premier défi de couple. À votre avis, qu'est-ce qu'elle ressent à propos de tout ça, Brent ? Pensez-vous qu'elle a peur ? Qu'elle est vexée ? Qu'elle est anéantie ?

Il n'est pas facile de résister à la culpabilisation d'un psy, mais j'y parviens.

– Elle n'aurait rien à ressentir de tout ça si elle faisait ce que je lui dis.

Charlie sourit légèrement, mais ce n'est pas un sourire agréable, on dirait plutôt Jasper, quand il a ses griffes sur sa petite souris en plastique et qu'il est sur le point de jouer avec.

– Mais les relations ne fonctionnent pas comme ça, vous le savez. Kennedy a besoin de votre soutien, pas de vos directives.

J'ouvre la bouche pour répondre mais il m'en empêche.

– Ne perdons pas notre temps, d'accord ? Et si vous essayiez d'être honnête et que vous me disiez ce que vous ressentez vraiment ?

Je masse ma nuque pour dénouer mes muscles.

– C'est une blague, ou vous êtes aveugle ? Je suis en colère, Charlie !

Son regard est calme et serein. Plein de sagesse. Ça m'agace à n'en plus finir.

– Vous n'avez pas l'air en colère, si vous voulez mon avis. Vous avez l'air terrorisé. De quoi avez-vous peur, Brent ?

– J'ai peur qu'on lui fasse du mal !

– Qu'on lui fasse du mal ou que vous ne puissiez pas éviter qu'on lui fasse du mal ?

– Il y a une différence ? je demande avec un rire jaune.

– Oui. Dans un cas vous vous inquiétez pour elle. Dans l'autre, il ne s'agit que de vous, de votre peur d'échouer et de ne pas pouvoir la protéger.

La vérité est une garce qui vous ronge et vous rend fou, jusqu'à ce que vous la laissiez sortir.

– Ben je ne l'ai pas protégée, avant.

Je repense au soir du bal de promo, à son visage couvert de boue, ensanglanté. Je repense aux années d'insultes et de railleries qu'elle a subies et qui peuvent si facilement briser une âme.

– Je l'ai laissée avec les loups, et ils l'ont dévorée. Ça ne se reproduira plus. C'est hors de question. Je veux la protéger, cette fois-ci.

– Dans le passé, vous avez échoué parce que vous étiez égoïste. Vous étiez un adolescent qui ne pensait qu'à lui-même.

– Je le sais, ça !

Il écarte les bras pour livrer sa conclusion finale.

– Or voilà que vous vous répétez ! Vous ne pensez qu'à *vos* besoins. *Vos* sentiments. Comme un gamin irritable, encore une fois !

– J'ai trente-deux ans, je suis adulte, bon sang !

Il se penche en avant dans sa chaise.

– Oui, vous l'êtes. Et cela faisait quelques semaines que vous vous comportiez enfin comme un adulte. Je suis déçu de vous voir régresser si vite.

Je grince des dents et je pointe mon index sur lui.

– Vous savez quoi, Charlie ? Allez vous faire foutre.

Je sors de son cabinet et je claque la porte.

◆◆◆

Je suis toujours énervé lorsque je vais au bureau après ce désastre. D'ailleurs, je crois que je suis encore *plus* énervé parce qu'il ne m'a pas dit ce que je voulais entendre, qu'il ne partage pas mon point de vue tout à fait rationnel. Qu'il ne comprend pas que planquer Kennedy dans ma maison est la meilleure, la seule solution acceptable. Il y a des femmes qui vendraient leur âme pour vivre dans ma prison dorée. Or il n'y en a qu'une que je veux.

Lorsque Jake arrive à ma porte, je suis debout à mon bureau, en train d'ouvrir et de refermer des tiroirs bruyamment, une liasse de feuilles volantes à la main.

– En matière de caprices, on peut dire que le tien est assez pathétique, mec. Tu devrais parler à Regan, elle pourrait te donner des conseils.

– Va te faire foutre, mec, je réponds sans lever la tête.

– Je ne peux pas, mon pote. Ta connerie est beaucoup trop grave pour que je te regarde faire sans rien dire.

Je referme un tiroir en le claquant et je pointe mon index sur lui.

– Fous-moi la paix, bon sang ! Tu crois que tu agirais différemment si c'était Chelsea ? Comment tu réagirais si elle était sur le point de se jeter dans la cage aux lions ?

– Chelsea peut se jeter dans toutes les cages qu'elle veut, parce que c'est *moi* le lion. Et je m'assurerais plutôt d'être avec elle.

Mon souffle accélère alors qu'il avance jusqu'à mon bureau.

– Ton problème, c'est que tu l'as sous-estimée. Tu as brandi une menace que tu ne pensais pas avoir à suivre, et elle t'a pris au mot. Elle y va, Brent, rien de ce que tu diras ne pourra l'arrêter. La seule question qu'il reste, c'est de savoir ce que tu vas faire maintenant.

Sofia entre alors dans la pièce.

– Eh… les mecs ? Je crois…

– Tu vas t'y mettre aussi, Sofia ? Pas maintenant, d'accord ? j'aboie en la fusillant du regard.

– Je sais mais…

– Contrairement à ce que vous pensez tous, je suis un grand garçon. C'est entre Kennedy et moi. On réglera ça, et je ne vais pas…

– J'ai perdu les eaux.

Il y a peu de mots qui sont capables d'attirer immédiatement l'attention de quelqu'un. Il y a « *au feu* », et « *j'ai gagné* », « *je vais jouir* » n'est pas mal non plus, mais « *j'ai perdu les eaux* » reste le grand gagnant.

Jake et moi nous tournons brusquement vers Sofia, qui s'appuie contre le mur et dont le bas de la robe est plus foncé. De l'eau coule le long de ses jambes, laissant une trace sur la moquette derrière elle.

– Waouh, ça fait beaucoup d'eau. On pourrait noyer un chiot dans toute cette eau.

– J'appelle Stanton, dit Jake.

– Non ! s'écrie Sofia en levant la main. Il est au tribunal et je ne veux pas qu'il vienne à l'hôpital en Porsche. Il va se tuer ou tuer quelqu'un.

Elle prend une profonde respiration avant de reprendre ses directives.

– Jake, va au tribunal et emmène-le à l'hôpital. Madame Higgens sait où il est. Brent, demande à Harrison d'approcher la voiture et emmène-moi à la maison pour que je prenne mon sac, puis on ira à l'hôpital, conclut-elle avant d'expirer lentement.

Tout le reste disparaît à la lumière de cet événement énorme. Car Sofia a beau faire mine que tout va bien, son visage est pâle et tiré. Elle tremble légèrement et c'est une de mes meilleures amies. Elle a besoin de moi.

Jake et moi nous réveillons en même temps. Il disparaît dans le couloir, et je soulève Sofia dans mes bras.

– Je vais accoucher, Jake, je ne suis pas handicapée. Je peux marcher, tu sais.

– Bien sûr que tu peux marcher. Mais pourquoi y serais-tu obligée alors que tu as un grand gaillard à tes côtés ?

Je file vers les escaliers et je tente d'ajuster le poids non négligeable de Sofia dans mes bras. Bien évidemment, elle le remarque.

– Si tu t'amuses à te moquer du poids que j'ai pris, je t'arrache la tête.

– Me moquer ? Moi ? Je ne me moquerais jamais du poids d'une femme. Et surtout pas du poids d'une femme enceinte. Cela dit… maintenant que tu en parles, je crois que ma prothèse en titane vient de plier sous l'effort, j'ajoute taquin en arrivant au pied des escaliers.

Elle me pince partout où elle le peut.

– Aïe ! Arrête de me pincer, ce n'est pas cool !

Sofia a un doigté assassin. Ses grands frères, qui se moquaient d'elle sans cesse, devaient ressembler à des dalmatiens tant elle a dû les pincer.

Cependant, lorsque je la porte hors de l'immeuble, elle rit chaudement, donc ma mission est accomplie.

Seize heures plus tard, celle de Sofia l'est aussi. Car le premier bébé de notre cabinet d'avocats vient au monde en hurlant.

◆◆◆

– C'est le petit Samuel, alors ?

Je regarde le petit bébé dans mes bras, endormi dans son emballage de couvertures. Les gens disent toujours que les nouveau-nés ont la bouche de leur mère ou les yeux de leur père, ce genre de chose, mais je ne l'ai jamais compris. Pour moi, ce sont juste des bébés. Ils sont adorablement mignons, mais ils se ressemblent tous plus ou moins.

– Donc vous restez dans les *S* ? Comme si Sofia et Stanton Shaw ce n'était pas assez nauséabond ?

Stanton recule dans le fauteuil noir à côté du lit de Sofia. Il prend un raisin vert du sac sur ses genoux et il le met dans sa bouche.

– Non, c'est juste qu'il a une tête de Samuel.

– Il ressemble à un extraterrestre.

Sofia fronce les sourcils et je rectifie.

– Un extraterrestre adorable, certes, mais tu as vu la taille de sa tête ? Ça a donné quoi, à la sortie ?

Sofia me sourit tendrement.

– Je souhaite sincèrement que tu aies des calculs rénaux pour le découvrir.

Nous restons assis en silence pendant quelques minutes, jusqu'à ce que Sofia se racle la gorge.

– Tu as parlé à Kennedy ?

Ma poitrine se resserre et mon cœur bat la chamade. Toute ma colère a disparu pendant la nuit dernière. Maintenant, elle me manque, tout simplement.

– Non.

– Pourquoi pas ? demande Stanton en gobant un autre raisin.

– J'espère encore qu'elle retrouvera la raison.

– Est-ce que tu l'aimes ? demande Sofia avant de regarder son mari en ouvrant la bouche.

Stanton jette tranquillement un raisin dans sa bouche et je caresse la petite main parfaite de Samuel en imaginant ce que ce serait de tenir dans mes bras une version miniature de Kennedy.

– Bien sûr, que je l'aime.

– Alors arrange la situation, mec, insiste Stanton. Vous vous êtes disputés, tu as dit des choses que tu ne pensais pas. Sois le bienvenu dans le monde des relations de couple. On ne rompt pas à cause d'une dispute. Pas si tu l'aimes.

Sofia parle en mâchant son raisin.

– Il a raison. Si on se séparait chaque fois qu'on se dispute, Samuel ne serait pas là.

Stanton hoche la tête.

– Ça fait peur, je sais. C'est effrayant de donner ce pouvoir à quelqu'un, d'accepter que ton bonheur repose sur le sien. Mais ça en vaut la peine, conclut Sofia en tendant la main à Stanton et en lui souriant tendrement.

Une phrase, entendue il y a vingt ans, me revient à l'esprit.

– S'il n'y a pas de balade, les chutes n'ont aucun intérêt.

Sofia penche la tête sur le côté et je hausse les épaules.

– C'est une fille intelligente et courageuse qui m'a dit ça, un jour.

– Elle m'a l'air géniale, dit Stanton en souriant.

Il ne croit pas si bien dire.

◆◆◆

Dans ma tête, j'imagine toutes les démonstrations d'amour dont rêvent les adolescentes. Je suis au pied de sa fenêtre avec un boombox dans les mains. Je cours à l'aéroport pour la rattraper quelques secondes avant qu'elle ne monte dans l'avion et je lui dis tout l'amour que j'ai pour elle.

Je réaménage mon bureau pour installer le sien à côté du mien et lui prouver combien j'ai besoin d'elle dans ma vie.

En réalité, je ne fais rien de tout cela, car nous ne sommes pas dans un film. Nous sommes dans la vie réelle, et Kennedy et moi sommes les personnes les plus terre à terre que je connaisse.

Elle n'a pas besoin que je la couvre de cadeaux précieux qu'elle peut s'offrir elle-même quand elle veut. Elle a besoin de paroles. Elle a besoin de me regarder dans les yeux quand je les lui dis, pour qu'elle voie que je les pense.

Je salue l'agent qui est posté au portail de sa maison et il me laisse passer. Je gravis les marches de son perron pour frapper à sa porte. J'ai l'impression qu'il se passe une éternité avant qu'elle ne m'ouvre. Ses yeux sont brillants et le gauche est encore gonflé, mais elle est toujours aussi belle, même avec des bleus au visage.

Une vague de culpabilité me saisit car elle souffre encore et que je l'ai fait souffrir davantage.

– Ce n'est pas fini, je déclare sans préambule. Je ne le pensais pas.

Son visage s'adoucit, plein de sympathie – pour moi –, et ma culpabilité se décuple.

– Je sais, Brent.

J'effleure sa joue, parce que je ne peux pas rester sans la toucher une seconde de plus.

– Je suis désolé.

– Moi aussi, Brent. Je suis désolée de ne pas pouvoir rendre la situation plus facile pour toi.

– Non, je me suis comporté comme un connard. Tu n'as pas à la rendre plus simple pour moi, je ne veux pas que tu t'en inquiètes. Je t'aime, Kennedy.

– Je t'aime aussi, Brent.

Elle inspire profondément, puis elle lève le menton et elle parle d'une voix plus forte.

– Ne me redemande pas de ne pas y aller. Je ne crois pas pouvoir le supporter.

– Je ne le ferai pas, promis. La seule chose que je te demanderai c'est… si je peux venir avec toi.

Sa bravoure s'effondre et elle se jette dans mes bras. Je la serre contre moi tandis que ses larmes trempent ma chemise, et elle hoche la tête contre mon torse.

– Oui. S'il te plaît, viens avec moi.

21

Lors de leur premier jour de procès, certains avocats veulent que toute leur attention soit concentrée sur leur affaire. Ils y pensent en dévorant leur bol de céréales, ils répètent leur déclaration préliminaire en sirotant leur café, et ils scotchent leurs notes sur leur miroir pour pouvoir les relire en se rasant ou en nouant leur cravate.

Kennedy n'est pas comme ça. Ce matin, dans notre chambre d'hôtel du Nevada, toute sa concentration est dirigée sur ma queue.

Elle est à genoux devant moi, titillant mon gland avec sa langue experte, et c'est tellement bon que je manque de me décapiter en laissant tomber ma tête en arrière. Je plonge ma main dans ses cheveux et maintiens sa tête en place pour pouvoir baiser sa bouche.

Putain.

C'est la première fois en deux semaines que je me permets d'être aussi brusque, et elle adore ça. Elle fredonne sur mon sexe, déclenchant des nuées de frissons électrifiés dans tout mon corps. Je plaque mon menton sur mon torse pour regarder ma queue glisser lentement entre ses lèvres roses.

– C'est ça, prends-la comme ça, je grogne.

Elle gémit et je suis à deux doigts de jouir. Je parviens tout juste à la soulever et à la jeter sur le lit. Je saisis ses chevilles, la ramène au bord du matelas, puis je plie les genoux et je m'enfonce en elle.

– Mon Dieu… Brent… oui…, dit-elle en me toisant de son regard enflammé.

Ses bleus les plus marqués ne sont guère plus qu'une ombre et il ne lui reste plus qu'une poignée de petites cicatrices rouges sur la joue. Quant à sa lèvre fendue et à son œil, ils sont redevenus normaux et magnifiques.

Je dessine des cercles avec mon bassin en m'enfonçant en elle, puis je change de rythme pour la pénétrer lentement, tendrement. Je glisse mes mains le long de ses tibias pour empoigner ses genoux et les ouvrir, m'offrant une vue parfaite de sa chair rose et lustrée.

– Joue avec tes seins, je grogne. Pince tes superbes tétons comme si ta vie en dépendait.

Kennedy ferme les yeux en gémissant, puis elle m'obéit et ses petites mains tirent sur ses pointes mauves.

Ouais – c'est ma nana, ça.

Sa chatte se contracte sur ma queue, essayant de me maintenir en elle, puis elle me supplie d'y aller *plus fort, plus vite. Plus fort, Brent, plus loin*. Bon sang, rien n'est plus beau que d'entendre Kennedy Randolph implorer.

Vient ensuite une sonate de souffles rauques, de grognements, de bruits de peau frappant la peau. Les tendons dans mon dos se contractent et se tendent, comme la corde d'un arc sur le point de céder. Les orteils de Kennedy se recroquevillent et elle pointe ses pieds, comme si elle cherchait un appui dans l'air. Je jouis en elle en grognant et en plantant mes doigts dans sa chair, lui donnant tout ce que j'ai.

Ses mains agrippent les draps et Kennedy jouit juste après moi, resserrant les muscles de sa chatte, avalant jusqu'à la dernière goutte que ma queue déverse en elle. J'ai la tête légère et j'y vois flou. Je crois que je suis sur le point de m'évanouir.

Je me laisse tomber sur elle, pantelant, exténué.

Quand les derniers soubresauts de plaisir s'estompent, elle éclate de rire et sa voix magique et pleine de joie me fait sourire jusqu'aux oreilles.

Alors *ça*, c'est une sacrée façon de commencer un procès.

◆◆◆

Lorsque je suis de nouveau capable de tenir debout, nous filons sous la douche. Le bras de Kennedy étant encore dans le plâtre, se laver les cheveux, mais aussi tous les recoins de son superbe corps, n'est pas facile. Naturellement, je l'aide à le faire. C'est la moindre des choses.

Un peu plus tard, je suis en costume – le bleu marine avec mes boutons de manchette porte-bonheur – et j'aide Kennedy à s'habiller.

– Le Kevlar te va sacrément bien, je dis en attachant son gilet pare-balles. Il faut vraiment qu'on le rapporte à la maison.

Ses longs cheveux blonds tombent sur son oreille lorsqu'elle tourne la tête vers moi.

– Tu ne penses vraiment qu'à ça, hein ?

– Absolument. Mais ne t'en fais pas, tu t'y feras, je dis en l'embrassant sur la joue.

Je tiens sa chemise ouverte pour l'aider à l'enfiler.

– Comment tu te sens, championne ?

Si ces dernières semaines m'ont appris une chose, c'est que Kennedy sait compartimenter ses émotions. Elle range celles qui la dérangent, comme sa peur et ses doutes, durant la journée, mais la nuit, quand tout le reste a été traité, ses démons ressortent et lui disent qu'elle est vouée à l'échec. Je suis ravi d'avoir été là pour elle, d'avoir la chance d'être celui qui la prend dans ses bras lorsqu'elle tremble, d'être celui à qui elle chuchote ses inquiétudes, d'être celui qui l'aide à porter tout ce poids sur ses épaules.

Elle n'aura plus jamais à le faire seule.

– Ça va, dit-elle en souriant.

L'éclat dans son regard me dit qu'elle est sincère.

Je l'embrasse sur le nez, je boutonne sa chemise et, lorsque je regarde les vestiges de ses blessures – encore visibles sous son maquillage léger –, quelque chose me vient à l'esprit. Je tourne sa tête, observant son bleu jaunâtre à la lumière.

– Qu'est-ce qu'il y a ? demande-t-elle.

– La défense va demander au juge de te récuser à cause de tes bleus et de ton plâtre. Ils vont dire que ça va influencer le jury.

– Tu crois ? répond-elle en fronçant les sourcils.

– En tout cas, c'est ce que je ferais.

Kennedy hoche la tête lentement, les yeux fixés sur la moquette, visualisant l'échange dans sa tête.

– Ok, dans ce cas, je serai prête pour disputer cette motion.

– Ouais, je dis en l'embrassant sur le front. Tu le seras.

◆◆◆

Kennedy entre dans la salle d'audience avec la démarche d'un général. C'est ainsi que j'imagine Jeanne d'Arc marcher sur le champ de bataille, défiant les Anglais de l'attaquer. Je suis assis au premier rang réservé au public, juste derrière elle. Connor Roth, l'agent qui m'a accompagné à sa chambre d'hôpital, est assis à côté de moi.

Elle parle aux autres procureurs à ses côtés et je regarde Mariotti de l'autre côté de l'allée centrale, entouré de ses propres avocats. Il a la quarantaine, il est petit mais baraqué, avec des cheveux noirs coiffés en arrière qui commencent tout juste à devenir grisonnants sur les tempes. Il a le physique typique d'une ordure, même vêtu d'un costume italien qui doit coûter plus cher que le loyer de la plupart des gens. Il suit Kennedy des yeux, et quand il remarque son bras cassé, ce connard éclate de rire.

Une colère noire parcourt mes veines et soudain je ne réfléchis plus. Je commence à me lever de mon banc, déterminé à aller lui arracher les yeux, lorsqu'une main puissante saisit mon épaule et me retient.

– Ne faites pas ça, Batman, murmure Roth. Vous n'aiderez pas votre nana en vous faisant virer de l'audience et en vous faisant enfermer avant même que le procès n'ait commencé.

Ses paroles me tirent de mes fantasmes lugubres, parce qu'il a raison. Ça craint, mais il a raison.

◆◆◆

Trois jours plus tard, je dis à Kennedy que je ne serai pas au tribunal cet après-midi-là. Lorsqu'une ombre d'inquiétude couvre son visage, je la rassure en lui disant que je dois rattraper du travail. C'est un mensonge, car Jake et Stanton gèrent parfaitement sans moi, même si ce dernier est en congé paternité. Toutefois, ce n'est qu'un petit mensonge sans importance.

Si Kennedy savait où j'allais vraiment, elle paniquerait.

◆◆◆

Le mafieux des temps modernes est très différent de celui de l'époque d'Al Capone, des chapeaux fedora et des flingues planqués dans des étuis à violon. *Les Soprano* se rapproche davantage de la vérité. Si vous ne le saviez pas déjà, vous ne vous douteriez jamais que Carmine Bianco – soixante-dix ans, cheveux gris, visage ridé, assis à une table au fond d'un café lambda – est le chef d'une organisation criminelle qui blanchit des milliards de dollars que le FBI essaie d'attraper depuis des dizaines d'années. Il ressemble à votre grand-père ou à votre tonton typique.

Excepté qu'il est protégé par deux énormes types avec des flingues attachés sous leur veste.

Nous sommes les seuls clients du café, donc quand un des molosses vient vers moi, j'écarte les bras et je le laisse me fouiller pour s'assurer que je n'ai ni flingue ni micro. Toute ma vie, les gens m'ont dit que j'avais un visage juvénile et ils m'ont sous-estimé à cause de cela. Aujourd'hui, je profite de cet avantage et je souris à Carmine en m'asseyant face à lui.

– Monsieur Bianco, je suis Brent Mason. Merci d'avoir accepté de me rencontrer.

Il repose son sandwich et il mâche son énorme bouchée, s'essuyant avec une serviette.

– Tu veux un sandwich ?

– Non, merci, je réponds en secouant la tête.

Son regard est vif et scintillant, un peu comme un couteau à cran d'arrêt, tandis qu'il m'observe, notant mon costume gris, ma cravate desserrée, ma Rolex.

– Je ne te connais pas. Je ne sais pas comment tu me connais, mais mon conseiller financier m'a dit que je devrais te rencontrer, donc nous voilà. Qu'est-ce que tu peux faire pour moi, gamin ?

Son conseiller d'affaires est l'associé d'un associé d'un des courtiers de ma famille. J'ai donc passé quelques coups de fil, car peu importe que vous soyez un mafieux ou un prince, l'argent fait parler tout le monde.

– Je suppose qu'on peut dire que j'ai une… proposition commerciale à vous faire.

Ma voix est sèche, tendue. Je ne sais si c'est lui qui a commandité le meurtre de Kennedy ou si ses associés s'occupent de leurs propres affaires. Je sais que je ne peux pas lui poser la question et que de toute façon il ne répondrait pas. Tout ce que je peux faire, c'est discuter avec lui. Quand on veut se débarrasser d'un serpent, on vise la tête.

Il recule dans sa chaise.

– Je t'écoute.

– Gino Mariotti. Il travaille pour vous.

– Selon les rumeurs.

– Bien évidemment, selon les rumeurs, je ricane.

– Et après ?

J'aborde les choses sérieuses et je ne ris plus.

– Combien vaut-il, à vos yeux ? Combien d'argent allez-vous perdre quand il sera jeté en taule – et je vous garantis qu'il le sera.

J'ai toute son attention, désormais. Il m'étudie comme on regarde quelqu'un qu'on pense avoir déjà rencontré mais qu'on a du mal à remettre. Comme s'il essayait de me déchiffrer.

Je lui file un coup de main et je joue cartes sur table.

– La procureur principale de l'affaire…

– La blonde.

– La blonde, je confirme.

– Elle est mignonne.

– Oui, elle l'est. Elle est aussi très importante pour moi. Quand cette affaire sera terminée, je vais la ramener à Washington. Je vais l'épouser, je vais avoir des enfants magnifiques avec elle, et je vais vieillir à ses côtés. Je refuse de faire ça en passant ma vie à regarder par-dessus mon épaule et en me demandant si un de vos types va essayer de se venger.

Je marque une pause.

– J'ai de l'argent, je poursuis. J'ai des propriétés que je n'ai pas achetées, des voitures et des tapis persans, des antiquités et des joyaux précieux, mais rien de tout cela ne m'importe si je ne suis pas avec elle. Donc : donnez-moi un montant.

Nous nous dévisageons longuement.

Lorsqu'il reste silencieux, j'ajoute à voix basse, d'un ton presque menaçant.

– Prenez ça comme l'équivalent de ma carotte – je sais qu'on n'attrape pas les mouches avec du vinaigre. Mais ne croyez pas que je n'ai pas aussi un bâton. Je n'ai pas peur de m'en servir.

Un éclat de rire vrombit dans sa poitrine et fait trembler la table.

– Oh, mais écoutez-le ! En voilà un qui a une sacrée paire de couilles, hein ? On dirait presque une menace, dit-il en se tournant vers un des ogres. Tu y crois, toi, Tony ?

Tony n'y croit pas.

– J'y crois pas, m'sieur Bianco.

– J'ai dû mal t'entendre, n'est-ce pas… *Brent* ?

Aussi rapide que l'attaque d'un serpent, une énergie assassine irradie désormais du vieillard comme la vapeur d'une marmite bouillante.

Mais je m'en fous, parce que j'ai fait mes recherches.

– Vous êtes marié, n'est-ce pas Carmine ? je demande en le regardant droit dans les yeux. Vous êtes avec la même femme depuis plus de cinquante ans. C'est quelque chose, hein, son amour d'enfance. La procureur ? C'est *mon* amour d'enfance. Donc… demandez-vous plutôt s'il y a quoi que ce soit que vous ne feriez pas pour protéger votre femme. S'il y a une horreur que vous ne seriez pas prêt à faire, une loi que vous n'enfreindriez pas. Maintenant, dites-moi si je vous menace.

Un silence pesant s'abat sur nous, puis il reprend une bouchée de son sandwich.

– Je t'aime bien, gamin, dit-il la bouche pleine.

– Comme la plupart des gens, je réponds.

– Tu joues au casino ?

– Ça m'arrive.

Il hoche la tête et avale sa bouchée.

– Tu vois, pour moi… il faut faire en sorte que les probabilités soient en ta faveur. Il faut piper les dés, mettre un poids sur la roue, compter les cartes. Mais quand tu as joué ta main, si tu perds, c'est fini. Tu prends tes pertes, et tu t'éloignes de la table. S'attaquer au croupier ne fait qu'énerver le casino. Ça attire l'attention sur toi alors que tu n'as pas besoin de ça. Tu comprends ce que je dis ?

Je crois bien, oui.

Bianco recule dans sa chaise et me regarde droit dans les yeux.

– Donc… quand Gino aura fini de jouer, tu peux épouser ta nana et faire plein de bébés avocats aux yeux bleus.

Tu n'auras pas besoin de regarder derrière toi. On ne sera pas là.

◆◆◆

Trois semaines plus tard, les jurés rendent leur verdict, et je suis derrière Kennedy quand le président le lit à voix haute. Je suis le premier qu'elle prend dans ses bras quand Gino Mariotti est déclaré coupable à tous les chefs d'accusation.

Kennedy et moi sortons faire la fête avec les autres procureurs et les agents qui ont travaillé avec elle. Elle boit de la vodka. Beaucoup. C'est une nuit géniale.

Ensuite, ma princesse guerrière remballe ses affaires et je la ramène dans mon château.

ÉPILOGUE

Six mois plus tard

« Bienvenue à la promotion Saint Arthur 2000 ! »

Ce type de réunion est l'une des expériences les plus pénibles de tous les temps. Après tout, on se met sur son trente et un pour voir des gens qu'on n'aimait pas assez pour rester en contact avec eux durant les quinze dernières années. Les hommes se demandent si les gens vont voir combien ils deviennent chauves – la réponse est oui. Les femmes se demandent si elles sont comme elles étaient à dix-huit ans. La triste réponse est *non*. Si jamais c'est le cas, ce qu'elles s'injectent dans le corps est dégoûtant et il vaudrait mieux qu'elles arrêtent.

Vicki et Brian nous ont laissé tomber en se servant de leurs enfants comme excuse. Kennedy rechignait également à venir, mais après ma persuasion buccale sans relâche, et deux orgasmes, elle a cédé.

Je crois que ça va lui faire du bien d'affronter ses fantômes et de voir que même les tyrans mûrissent. Elle dit qu'elle n'en a pas besoin, mais je crois que, au fond d'elle-même, elle a encore une petite blessure laissée par ses années de lycée. En revenant ici avec moi, il se pourrait que cette petite blessure cicatrise enfin.

Pour être honnête, je veux être là avec elle. Je veux frimer en montrant à tout le monde le diamant de trois carats que j'ai mis à son doigt le mois dernier. Ce n'est pas seulement parce qu'elle est canon, d'ailleurs. J'aurais quand même voulu être là avec elle si elle avait toujours ses lunettes, son appareil dentaire et ses pulls trop grands pour elle, parce que je suis fier d'elle, pas de son corps.

D'autre part, si tout se passe comme prévu, j'ai une autre raison secrète d'être ici.

Cher joue à plein volume sur les enceintes quand Kennedy et moi entrons dans le gymnase, main dans la main. Vu le prix que coûte l'inscription au pensionnat, je m'attendais à ce que l'événement soit un peu plus classe. Mais non, la salle est décorée des traditionnels serpentins, avec des tables ici et là, des bougies, des stroboscopes de boîte de nuit et un mauvais DJ. Nous prenons un verre au bar et nous faisons un tour de la salle, parlant avec mes anciens coéquipiers de lacrosse et même avec ce fichu William Penderghast. Il est PDG, aujourd'hui, et il est marié à une mannequin de Victoria's Secret. Tant mieux pour lui.

Il sait comme moi que c'est moi qui ai remporté le gros lot.

– Bon sang de bonsoir, Brent Mason ! Viens ici, beau gosse !

Je suis accosté par une femme blonde, bronzée, vêtue d'une robe à sequins et qui a eu la main lourde sur le Chanel Nº 5. Lorsqu'elle recule, je vois que c'est ma vieille copine, Cashmere Champlaine. J'aurais adoré dire qu'elle a eu ce qu'elle méritait et que ces quinze années n'ont pas été généreuses avec le visage et le corps dont elle était si fière, mais ce serait faux. Elle est toujours belle, avec un visage médicalement rajeuni et un corps qui ne semble pas avoir un gramme de graisse. J'ai entendu dire il y a quelques années qu'elle avait épousé un joueur de football professionnel dont elle avait divorcé pour épouser l'un de ses coéquipiers.

Elle m'offre un sourire agressif, révélant des dents blanches et bien droites, puis elle frappe le revers de ma veste.

– Comment tu vas, l'étranger ?

– Je vais bien, Cazz, je réponds froidement. Et toi ?

– Je vais super bien ! J'ai ma propre agence de mannequins à Los Angeles, maintenant ! Toutes les filles pensent qu'elles sont la prochaine Gisele, mais la plupart ne pourraient pas décrocher une pub pour une crème contre les hémorroïdes sans sucer le photographe au préalable. Et toi, que deviens-tu ?

C'est maintenant que ma raison secrète entre en jeu.

– Eh bien je me suis fiancé, il y a peu.

Son sourire devient contraint et son regard plus froid.

– Ah bon ? Félicitations.

– Absolument, oui, je dis en tirant à mes côtés Kennedy qui discutait derrière moi. Ma fiancée est Kennedy Randolph, tu te souviens d'elle, n'est-ce pas, Cazz ?

Sa bonne humeur de façade s'évanouit brusquement.

– Bonjour, Cashmere, dit Kennedy en la fusillant du regard.

– Tu te fous de moi ?! s'écrie Cashmere. Je le savais ! J'ai toujours su que tu l'aimais. Je n'arrive pas à le croire !

Je parle d'une voix calme et faussement désolée.

– Oui, tu as raison. Je l'ai toujours aimée. Le truc c'est que… j'ai un aveu à te faire.

– Lequel ?

– Je t'ai trompée, Cashmere. Pendant tout le lycée. Toutes ces soirées où je te disais que je devais m'entraîner ou que j'avais mal à la jambe, ou encore que je devais réviser… en vérité j'étais avec Kennedy. Ça a toujours été elle. *Toujours*, je conclus en la regardant droit dans les yeux.

À voir son expression, je sais qu'elle me croit. Je sais que mes paroles sont allées droit dans son cœur pour le briser. Le dernier dragon de Kennedy est enfin vaincu.

– Tu es… tu es *sérieux* ?

– Absolument. Mais ce n'est rien de grave, hein ? Les gamins sont tous des enfoirés, après tout. Ils ne pensent qu'à eux-mêmes. Ils se fichent de faire du mal aux autres. C'est sans rancune, n'est-ce pas, Cazz ?

Cashmere ravale ce qu'elle s'apprêtait à dire, parce qu'elle est entourée par ses vieilles groupies qui ont tout entendu, donc elle sauve la face comme elle peut.

– Ouais, c'est sans rancune, répond-elle en souriant.

– Super, je dis en caressant les cheveux de Kennedy. Ah, j'adore cette chanson. Si tu veux bien m'excuser, je vais danser avec la femme de ma vie. À plus, Cazz.

Je tourne les talons et j'emmène Kennedy sur la piste de danse.

– Pourquoi as-tu fait ça ? demande-t-elle en souriant à moitié.

– Je ne peux pas revenir en arrière et changer ce que tu as vécu, mais je peux changer *sa* façon de s'en souvenir. Comme ça, elle ne pensera plus qu'elle est mieux que toi, parce qu'elle ne l'a jamais été, et qu'elle ne le sera jamais.

Kennedy soupire avec un air reconnaissant et satisfait.

– Merci.

Elle se blottit tendrement tout contre mon torse et nous dansons l'un contre l'autre pendant quelques minutes. Soudain elle lève la tête et me regarde d'un air excité.

– Eh, tu sais ce qu'on devrait faire ?

– Quoi ?

– On devrait retourner en haut de la colline, dit-elle d'une voix grave et aguicheuse. On pourrait… se bécoter… comme la dernière fois.

J'effleure son nez avec le mien.

– Est-ce que tu me laisseras aller jusqu'au bout, cette fois-ci ?

Elle mord sa lèvre inférieure, comme si elle devait y réfléchir.

– Je ne suis pas sûre… je suis une fille sage, tu sais.

– Mais c'est tellement fun quand tu ne l'es pas…, je grogne en saisissant ses hanches.

Ses yeux scintillent lorsqu'elle lève la tête, et c'est pour moi qu'ils brillent.

– On verra… Si tu as de la chance, les choses pourraient bien tourner pour toi.

Génial : j'ai toujours eu de la chance.

– Tu sais ce que je viens de réaliser ? demande-t-elle.

Je remonte ma main le long de sa cuisse puis sur ses fesses.

– Quoi ?

– Tu ne m'as jamais trouvé de surnom.

Je l'embrasse tendrement.

– Bien sûr que si. C'est le meilleur surnom au monde, et dans quelques mois, je l'utiliserai dès que j'en aurai l'occasion.

Elle penche la tête sur le côté, essayant de deviner ce que c'est, mais elle donne sa langue au chat.

– Qu'est-ce que c'est ?

Je porte la main gauche de Kennedy sur mes lèvres et j'embrasse sa bague de fiançailles.

– *Femme.*

ÉPILOGUE SUPPLÉMENTAIRE

Il était une fois… dans la propriété Potomac des Mason.

– Robert ? chuchote Vivian Mason. Tu es réveillé ?

Elle n'est pas censée être là. Cela fait plusieurs heures que ses parents l'ont bordée. Sa mère a tendrement coiffé ses cheveux bruns en arrière et elle l'a embrassée sur le front. La belle robe blanche de sa mère brillait à la lumière douce de la pièce comme une étoile dans la nuit. Son père lui a souhaité bonne nuit, l'appelant son Petit Renard, car il dit qu'elle est rusée comme un renard. Il essaie toujours de trouver des surnoms amusants pour elle, son petit frère et sa petite sœur.

Comment peuvent-ils s'attendre à ce qu'elle dorme ? C'est le soir du nouvel an et il y a une grande fête dans la salle de bal au rez-de-chaussée.

– Robert ! chuchote-t-elle plus fermement, cette fois.

– Oui, je suis réveillé !

Les draps de soie sifflent alors que son meilleur ami, Robert Atticus Becker, en sort la tête. Ils ont beau avoir tous les deux huit ans,

Robert fait déjà une tête de plus qu'elle. Il frotte ses yeux bleus pour en effacer les traces de sommeil et il passe sa main dans ses cheveux avant de se lever.

– On l'a raté ?

Vivian sourit, tout excitée, parce que, pour autant qu'elle se souvienne, elle a toujours eu hâte de voir le feu d'artifice illuminer le monde extérieur, comme par magie.

– Non, mais ça va bientôt commencer.

Robert prend les devants, ouvrant la porte pour y passer la tête, s'assurant que la voie est libre. Ils émergent dans le couloir sans fin, en veillant à ce que les pieds nus de Robert et les pantoufles de Vivian ne fassent pas de bruit. Ils se faufilent dans la chambre rouge et referment la porte derrière eux.

C'est ici que leur grand-mère garde ses précieux albums photo – les étagères en sont remplies. Ses parents ont eu deux mariages : un sur une plage déserte, entourés de cocotiers, l'autre plus grandiose, avec des centaines d'invités, dans un bâtiment ancien avec des arches et des colonnes en marbre. Il y a aussi des photos de tous leurs voyages. Avant qu'elle ne naisse, ils ont même sauté en parachute ensemble. Ils ne voyagent plus trop, aujourd'hui – en tout cas, pas si toute la famille ne peut pas suivre.

Son père lui a dit un jour que sa plus grande aventure était d'être devenu son papa.

Les deux enfants grimpent sur le siège de la fenêtre arquée. Vivian se dresse sur ses genoux, les mains sur les vitres froides, essayant d'apercevoir les invités en contrebas.

– Je n'arrive pas à croire que Samuel ait eu le droit d'aller à la fête cette année et pas nous, râle-t-elle.

– Il est plus vieux que nous, répond simplement Robert.

Étant le plus jeune de sept enfants, Robert sait ce que c'est de devoir attendre pour faire des choses que les autres ont déjà le droit de faire.

– Au moins, tu n'es pas Nat ou Xavier, eux vont devoir attendre longtemps avant de pouvoir y aller, dit Robert.

C'est vrai. Le petit frère et la petite sœur de Vivian sont confinés dans la nursery, surveillés par Harrison et Jane, la nounou.

Vivian tend le cou tandis que la foule d'invités remplit la véranda; ils sont tous vêtus de robes somptueuses et de costumes trois-pièces. Elle peut presque entendre le tintement des coupes de champagne tandis que les serveurs à gants blancs les distribuent. Elle repère ses parents au moment où sa mère éclate de rire alors que son père chuchote quelque chose à son oreille. Il y a peu de choses que Brent Mason aime autant que de faire rire sa femme.

Puis, lentement, son père se tourne et son beau visage se lève vers elle, comme s'il la cherchait. Elle est presque sûre de le voir faire un clin d'œil. Elle retient son souffle une seconde, puis elle se souvient que la chambre est plongée dans le noir et qu'ils sont loin au-dessus d'eux. Il ne peut pas savoir qu'ils sont à la fenêtre.

Elle voit son oncle Stanton, grand et doré, marcher vers ses parents, tenant par le bras sa belle tante Sofia. À côté de sa mère, elle voit les parents de Robert. Vivian suppose que tante Chelsea doit avoir froid, parce que tonton Jake la tient blottie contre lui, avec ses gros bras autour d'elle, comme pour la protéger du vent.

– Tu veux devenir quoi quand tu seras grande ? demande Robert d'une voix légèrement ennuyée. Moi je veux être un NavySeal[14] *– ils ont des missions trop cool.*

– Moi je veux être écrivain, comme ma tante Vicky.

Robert grimace. Pour lui, l'école est facile, il lui suffit de lire un texte une fois pour s'en rappeler mot pour mot. Cependant, ça ne veut pas dire qu'il aime lire.

– Tu écrirais à propos de quoi ?

Vivian regarde les trois couples en contrebas.

---

14. Principale force spéciale de la marine de guerre des États-Unis.

– Je raconterai l'histoire de trois super héros. Tout le monde pense que ce sont des gens normaux, mais ils ont des identités cachées.

– C'est cool les identités secrètes, concède Robert en hochant la tête. Ils feront quoi ?

La voix de Vivian devient douce alors qu'elle imagine les histoires.

– Il y aura un cow-boy, un chevalier et un prince.

– Ils tueront des gens ?

Vivian tourne brusquement la tête vers lui.

– Non, ils les sauveront. Tous les jours. Et ils auront des femmes super héros trop belles avec eux.

– Je ne sais pas, Viv, dit Robert. Ça a l'air un peu bête.

– Mes histoires seront géniales. Tous ceux qui les liront riront, pleureront et sauront ce que c'est que de tomber amoureux. Et elles finiront comme toutes les meilleures histoires.

Robert se rapproche d'elle, captivé.

– Elles finiront comment ?

– Ils vécurent heureux pour toujours.

REMERCIEMENTS

J'ai toujours aimé les contes de fées : leur magie intemporelle, leur simplicité innocente, l'idée selon laquelle l'amour peut vaincre tous les obstacles, tuer tous les méchants, sauver la princesse et rompre tous les mauvais sorts.

Pour moi, l'idée pour ce troisième tome est partie d'un conte de fées. Une histoire simple à propos d'un beau prince, d'une princesse au grand cœur, et de leur amour. De là, l'histoire a évolué, et le processus a été très amusant. C'est devenu une guerre de volontés hilarante et pleine de passion, qui montre comment un amour de jeunesse peut devenir quelque chose de fort et d'incassable.

J'adore cette histoire et ces personnages – leur résilience, leur finesse d'esprit, et surtout leurs rires. J'espère que vous les aimerez autant que moi, que leur histoire vous laissera tout chose et qu'elle vous apprendra que le véritable amour peut tout surmonter – que le rêve d'être *heureux pour toujours* est à la portée de tous.

Je suis infiniment reconnaissante d'avoir pu travailler avec des personnes aussi pleines de talent pour la série *Sexy Lawyers [Legal Briefs]*. À mon éditrice, MickiNuding, merci de m'avoir aidée à rendre l'impossible complètement faisable. C'est génial de remuer mes méninges avec toi ! À mon agent, Amy Tannenbaum, de la Jane Rotrosen Agency, merci de toujours être dans mon camp. Je l'ai déjà dit, mais je serais vraiment perdue sans toi !

À mes chargées de communication, Kristin Dwyer et Nina Bocci : je vous aime pour toujours. Merci de rendre le travail amusant et d'être brillantes dans tout ce que vous faites. À mon assistante, Juliet Fowler, merci de tout gérer, merci pour tes idées novatrices et ton énergie pétillante. Merci infiniment à Sullivan & Partners pour la superbe campagne qu'ils ont faite pour la série. Merci mille fois, Molly O'Brien, pour ton travail sans relâche et ton soutien.

Mes remerciements à Gallery Books, notamment Sarah Leiberman, Liz Psaltis, Paul O'Halloran, mes éditrices Jennifer Bergstrom et Louise Burke – c'est une joie et un honneur de travailler avec vous.

J'ai tellement d'admiration et d'amour pour Katy Evans, Jennifer Probst, Kyra Davis, Alice Clayton et Christina Lauren, merci pour vos sourires et votre soutien !

J'ai une infinie reconnaissance pour tous les blogs qui lisent et commentent mes livres et qui rendent la communauté romance si vibrante et merveilleuse.

Encore une fois, à mes merveilleuses lectrices, merci d'être restées dans cette aventure avec moi, merci d'aimer, de rire, et d'apprécier ces personnages et leurs histoires autant que moi ! Je vous aime toutes !

Et à ma famille, merci pour votre patience, votre ridicule, votre amour – vous êtes pour moi un conte de fées devenu vrai. xoxo

DRÔLE, SEXY, BRILLANTE.
LA NOUVELLE COMÉDIE
ROMANTIQUE ET ÉROTIQUE
D'EMMA CHASE.

mars 2017

DÉCOUVREZ LES AUTRES TITRES DE LA COLLECTION HUGO NEW ROMANCE®

AUDREY CARLAN
CALENDAR GIRL
« On a tous du Mia en nous »
AUDREY CARLAN
CALENDAR GIRL
Janvier
Hugo Roman
Février
Mars
Avril
Le rendez-vous mensuel de 2017
Hugo Roman

NEW ROMANCE
AUDREY CARLAN
CALENDAR GIRL
Mai
Hugo Roman
NEW ROMANCE
AUDREY CARLAN
CALENDAR GIRL
Juin
Hugo Roman
NEW ROMANCE
AUDREY CARLAN
CALENDAR GIRL
Juillet
Hugo Roman
NEW ROMANCE
AUDREY CARLAN
CALENDAR GIRL
Août
Hugo Roman
NEW ROMANCE
AUDREY CARLAN
CALENDAR GIRL
Septembre
Hugo Roman
NEW ROMANCE
AUDREY CARLAN
CALENDAR GIRL
Octobre
Hugo Roman
NEW ROMANCE
AUDREY CARLAN
CALENDAR GIRL
Novembre
Hugo Roman
NEW ROMANCE
AUDREY CARLAN
CALENDAR GIRL
Décembre
Hugo Roman

PAR L'AUTEUR D'AFTER
ANNA TODD
Between
PAR L'AUTEUR D'AFTER
ANNA TODD
NEW ROMANCE®
Between
L'amour guérit-il les blessures ?
Hugo Roman
NOTHING LESS - LANDON 2
Hugo Roman

UP IN THE AIR
IN FLIGHT
R.K. LILLEY
MILE HIGH
SAISON 2
GROUNDED
SAISON 3
IN FLIGHT
SAISON 1
Quand le désir
est plus fort
que la raison
À PARAÎTRE
Mister B. - Saison 4
JANVIER 2017
MISTER B. - SAISON 4
◆ BLANCHE
Hugo Roman

LEXI RYAN
RECKLESS
And Real
NEW ROMANCE®
LEXI RYAN
SOMETHING
Wild
Résister à la tentation pour ne pas se perdre (soi-même) ?
PREQUEL TOME 0.5
Hugo Roman
SOMETHING WILD
PREQUEL
NEW ROMANCE®
Tout révéler et risquer de le perdre ?
LEXI RYAN
SOMETHING
Dangerous
TOME 1
Hugo Roman
SOMETHING
DANGEROUS TOME 1
DÉCEMBRE 2016
LEXI RYAN
SOMETHING
Real
TOME 2
Devront-ils sacrifier leur amour ?
Hugo Roman
SOMETHING
REAL TOME 2
JANVIER 2017
Hugo Roman

Sandre
CLOSE-UP
JANE DEVREAUX
NEW ROMANCE®
JANE DEVREAUX
CLOSE-UP
Sandre
CLOSE-UP
TOME 1
JANE DEVREAUX
Hugo Roman
Pour se protéger,
elle va le provoquer.
Pour la protéger,
il lui confiera ses secrets.
À PARAÎTRE
Close UP - Tome 1
JANVIER 2017
Hugo Roman

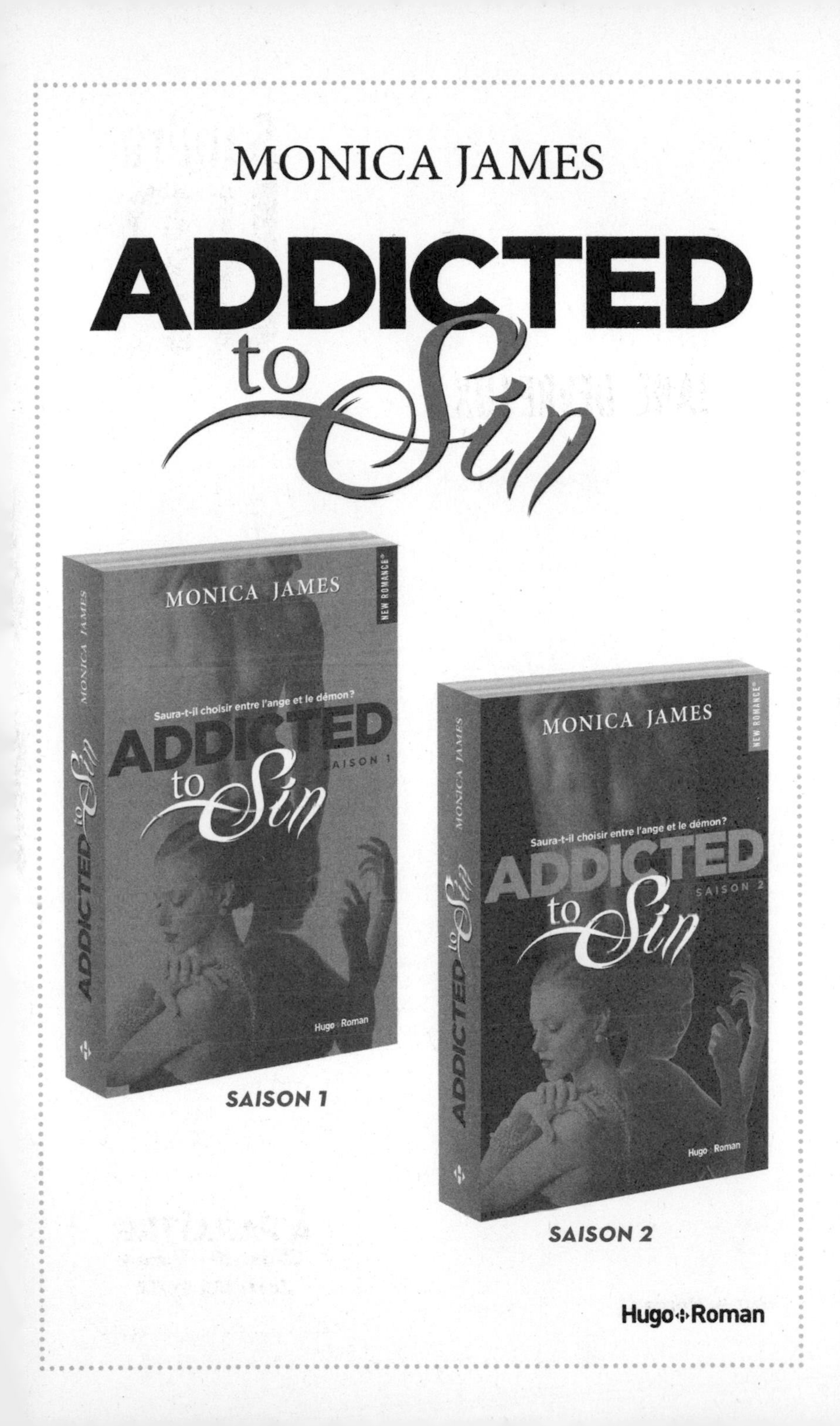
MONICA JAMES
ADDICTED
to Sin
MONICA JAMES
NEW ROMANCE®
Saura-t-il choisir entre l'ange et le démon?
ADDICTED
SAISON 1
to Sin
Hugo Roman
SAISON 1
MONICA JAMES
NEW ROMANCE®
Saura-t-il choisir entre l'ange et le démon?
ADDICTED
SAISON 2
to Sin
Hugo Roman
SAISON 2
Hugo Roman

hugonewromance

www.festivalnewromance.fr
www.hugoetcie.fr